보물의 수호자

독립의 혼

김백중

서른이 넘어서도 픽사, 디즈니, 마블 이런 게 좋았다. 어벤져스: 앤드 게임의 앤딩 크래딧이 올라갈 때 청춘의 큰 덩어리가 떨어져 나가는 느낌을 받을 정도였으니.

디자인을 하고 그림을 그리며 이야기를 만드는 사람으로서 이런 영향을 무시할 수 없었다. 이 때문에 마블의 캐릭터나 디즈니 캐릭터들을 재미로 끄적이기도 하고 가끔 이들에게 한복을 입혀 그리곤 했다. 그리고 마침내 어느 3월 1일. 나는 유관순 열사로부터 영감을 받아 새로운 그림을 그렸다. 흰색 저고리를 입고 태극기를 든 슈퍼히어로. 그렇게 이 이야기의 세계관이 탄생했다.

이 이야기에서 어렴풋이나마 독립운동가의 위대한 업적과 그들의 슬펐던 투쟁이 보이기를. 그리고 슈퍼히어로가 되어 다시 태어난 우리나라의 진정한 영웅들의 이야기가 청소년들이 역사와 독립운동가에 더욱 많은 관심과 애정을 가지게 되는 계기가 되기를.

차 례

프롤로그

"이거 놔!"
손바닥만 한 작은 집안이 부서질 듯 소란스럽다.

"아이고, 또 저란다 또 저래."
나무로 겨우 엮은 대문 밖에는 벌써부터 구경꾼들이 몰려와 있다.

"아이고, 와 저라능교?"
"저 집 바깥양반이 도박에 빠졌다 안 합니까?"
"아이고, 참 큰일이네. 일본 순사가 아궁이 밑까지 훑고 간지가 언제라고 이번에는 남편이 저라노."

쾅!
문이 세차게도 열린다. 거친 호흡을 쉬며 나오는 남자. 남자는 어쩐 일인지 신발은 벗고 방으로 들어간 모양이다. 나오자마자 가지런히 정돈된 신발을 바쁘게 구겨 신는다. 남자의 왼쪽 겨드랑이 안에 보자기로 반쯤 싼 가재도구들이 보인다. 뒤에서는 남자의 아내가 고개를 바닥에 박은 채로 울고 있다. 마당이라 하기도 작은 곳에서 딸아이가 짚으로 기워 만든 인형을 품에 안고 있다. 아이는 인형을 꼭 껴안은 채 신발을 신는 남자를 본다.

"아이고, 딸도 보는데 쯧쯧."
혀끝을 차는 구경꾼들의 소리가 좁은 마당 구석구석을 채운다. 남자는 신발을 신다가 마당 한가운데 서 있는 딸아이를 발견한다. 남자는 천천히 다가가 딸아이 앞에서 무릎을 꿇는다.

"우리 딸."
딸의 짧은 댕기 머리를 손끝으로 만지는 남자의 눈은 당장이라도 터질 것 같은 눈물로 꽉 차 있다. 남자는 윗옷 주머니에서 뭔가를 꺼낸다. 작고 낡은 금속 꽃 브로치. 아무런 장식이 없는 단순한 꽃 브로치는 알게 모르게 남자와 닮아있다. 남자는 브로치를 자기 옷에 쓱쓱 닦은 후 아이의 왼쪽 가슴에 단다.

"우리 딸, 아빠가 꼭 좋은 소식 가지고 올게!"
남자는 딸아이의 얼굴을 어루만진다. 그리곤 다시 딸을 으스러질 듯이 꼭 안은 뒤, 갈 길을 떠난다. 순간, 가던 길을 멈추고 마당에 홀로 서 있는 딸아이를 바라보는 남자. 남자는 딸아이의 모든 모습을 눈에 구겨 넣는다.

딸도 남자의 온 모습을 눈에 담는다. 남자는 서둘러 딸아이의 눈에서 사라진다.

딸아이는 아직도 마당 한가운데에서 남자가 사라진 길을 바라보고 있다.

1

"자, 이번 감정품의 가격은?"
TV 화면의 전광판에서 숫자들이 요동치며 올라간다.

"2억!"
진행자의 목소리가 세 뼘 크기의 TV 스피커를 뚫고 나와 빛
이 겨우 들어오는 작은 방에 퍼진다.

"아, 진짜! 할머니! 할머니는 저런 거 없어?"
"이 가시내야, 내가 저런 게 있으면 숨기겠니? 진즉 저런데 나
갔지."
두 명이 눕기에는 좁아 보이는 방에 꼬깃꼬깃 앉아 있는 고등
학생과 할머니. 고등학생의 아무렇게나 묶은 머리카락과 무릎
이 늘어난 운동복이 유난히 눈에 띈다. 그리고 집 안 임에도 옷
을 겹겹이 입은 할머니.

"아, 진짜. 저런 거 하나 있으면 할머니 병원도 좀 제대로 다니고 하면 되는데."
"아이고, 너희 증조할아버지가 도박에 빠져서 집안 살림 다 팔아먹은 거 한두 번 이야기하는 것도 아니고."
할머니는 누워있던 몸을 천천히 일으켰다. 할머니는 오렌지 주스 병에 담겨있는 보리차를 뜻 모를 영어가 적힌 커피잔에 따랐다. 그리고 약통을 열어 약을 꺼내 손바닥 위에 올려놓는다. 손바닥이 꽉 찰 만큼 빈틈없이 쌓이는 약들.

"우리 집에 저런 게 남아 있었으면, 싹 다 너희 증조할아버지 술값에, 도박 빚에 진즉 다 썼지."
느릿느릿한 할머니의 말투는 할머니의 말을 신빙성 없이 보이게 만든다.

"집이 그 꼬락서니인데 저 사진은 어떻게 찍었대?"
창문 사이로 비집고 들어온 햇살이 80년이란 세월에 그을린 낡은 사진을 비춘다. 무엇때문인지 바닥에, 그것도 할머니 머리맡에 있는 작은 액자 속 사진. 그 사진에는 증조할아버지와 증조 할머니, 할머니의 모습이 어색하게 담겨있다. 어린 할머니는 증조할아버지 무릎 위에서 입을 벌린 채 어리둥절한 모습이다.

"그럼 너는 저것 좀 어디 가서 팔아봐라. 돈이 되는지."
할머니는 다시 느릿느릿 벽에 걸려 있는 희언이의 상장들을 가리킨다.

'국제 청소년 선수권 태권도 품새 단체 금상', '국제 청소년 선수권 태권도 품새 중등부 개인 동상', '한국 청소년 태권도 품새 여성부 개인 금상'. 이 밖에도 다른 상장들이 벽에 빼곡하다.

"뭐라는 거야. 내가 이제 볼일 없다고, 치우자고 할 때 하나하나 다 벽에 건 게 누군데."
"아이고! 내는 다 필요 없다. 니가 제일 귀한 보물인데, 뭐 하려고 다른데 가서 찾을 끼고! 언아, 밥도 없는데 우리 라면이나 끓일까?"
할머니는 손에 약을 꼭 쥔 채 희언에게 애교를 부린다.

"할머니! 밀가루 안 좋다고 그렇게 의사쌤이 말씀하시는데 라면은 무슨 라면! 안돼, 밥 먹어! 밥하면 돼. 금방 해! 나 이번 달부터 알바비 나오니까 할머니 밥 꼬박꼬박 챙겨 먹일 거야."
희언은 늘어진 운동복을 툭툭 털면서 바닥에서 일어난다. 희언은 머리를 고쳐 묶으며 TV를 바라본다.

"감정가는 7천 500만 원!"

감정가 소리에 솔깃한 희언. 괜히 이리저리 서랍장 문들을 열고 고개를 숙여 구석구석을 살펴본다. 곱게 개어 놓은 태권도 도복과 검은색 띠가 보이자 소스라치며 몸을 떠는 희언. 희언은 반사적으로 서랍장의 문을 닫았다. 순간, 희언의 얼굴이 격하게 일그러졌다.

"어라?"
서랍장 안에서 뭔가 발견한 듯한 희언. 희언은 다시 조심스레 서랍장을 열어본다. 서랍장 구석에 있는 작은 나무 상자. 상자는 오래되어 보였지만 주변의 정교한 장식으로 인해 고급스러움이 풍겼다. 뭔가 비밀이 숨겨져 있을 듯한 나무 상자에 희언의 가슴이 뛰었다.

"으음……" 할머니가 억지로 약을 넘기는 소리가 TV 소리를 짓밟고 희언의 귀에 꽂힌다. 이에 희언은 도둑질이라도 들킨 양 서랍을 닫고 아무 일도 없던 척을 한다. 할머니는 약을 먹은 후 자리에 눕는다. 눕는 것도 힘에 겨운지 할머니는 연신 앓는 소리를 낸다.

부엌으로 가다 말고 다시 TV를 보는 희언. 희언은 TV에서 눈을 떼지 못한다.

"이렇게 가까운 곳에서 이렇게 엄청난 보물을 발견할 줄 그 누가 알았겠습니까?"

희언은 서랍장을 바라보았다.

2

주말 오전의 독립기념관. 3월 초 학기가 시작된 달이라 그런지 몰라도 기념관은 한산하다.

"뭐야, 재미없어."
독립기념관을 나오는 초등학생들의 얼굴에는 불만이 가득해 보인다. 아이들은 뭐라고 떠들며 희언 옆을 정신없이 지나간다.

"주말에 이게 뭐야! 승급전 해야 하는데!"
아이들의 불만이 그치지 않는다. 게임 이야기에 정신 없는 아이들. 아이들에게 독립기념관은 그저 귀찮은 현장학습일 뿐이다.

"어린 노무 쉐키들이 독립운동가 대단한 줄 모르네."
아이들 귀에는 들리지도 않을 텐데, 희언은 혼자 중얼거렸다.

"자, 우선 기념관을 대충 한 바퀴 돌자."

희언의 말을 들었는지 안 들었는지 모르겠지만, 청소년 교정 담당 선생은 희언을 기념관 안으로 인도했다. 기념관을 구경하는 동안 담당자는 희언의 눈을 마주치는 일이 없었다.

"게다가 여기서는 말조심해야 해. 안 그래도 네가 온다고 해서 여기 사람들의 걱정이 이만저만이 아니야. 어지간하면 눈에 안 띄는 게 좋아."

"네."

희언은 풀이 죽은 듯 기어 들어가는 목소리로 대답했다.

기념관을 둘러보다가 담당자는 기념품 가게 앞에서 멈춰 섰다. 꽤나 큰 기념품 가게다.

"독립기념관이랑 협업은 우리도 이번이 처음이라 우리 일 처리도 좀 중구난방일 거야. 미리 와서 답사는 했지만 나도 관찰 학생에게 일자리를 마련한 건 처음이니까. 당분간은 여기에 있으면서 보드게임이랑 체험, 장난감, 책 이런 거 소개해서 주면 되고, 결제 같은 건 저기 인배 학생이 다 가르쳐 줄 거고."

인배 학생으로 보이는 남자는 손님의 계산을 돕는다고 바쁘다.

"월급은 따박따박 잘 나오나요?"

질문을 받은 담당자는 희언이 한심한 듯 한숨을 내뱉었지만, 그래도 성의 있게 대답했다.

"음 뭐, 여기는 보훈처에서 관리하고, 게다가 이번 고등학생 연계프로그램은 처음이라서 눈치를 많이 보는 거라 '따박따박' 잘 줄 테니까 걱정하지 마. 그리고 관찰 대상 학생이니까 보는 눈이 곱지는 않을 거야. 그래도 선생님이 추천도 하고, 옛날에는 상도 많이 탔고, 할머니 병원비 벌어야 한다고 이래저래 말 잘해 놓았어. 그러니까 행동 조심하고. 지각이나 결근할 것 같거나 무슨 일 있으면 연락만 먼저 줘!"

'따박따박'을 유난히도 강조하는 담당자. 희언은 머쓱한 웃음을 지었다.

"그리고 지금처럼 입을 거면 그냥 교복 입고와."
담당자는 희언의 낡은 운동복에 대고 한 소리 했다.

"네."
자리를 떠나는 담당자의 뒷모습에 희언은 허리 숙여 인사했다.

그새 손님이 다 빠져나갔는지 인배 학생은 희언 옆으로 다가와 가볍게 고개를 숙였다. 멀끔하게 생긴 남자는 가슴에 권인

배라는 이름표를 달고 있다. 인배는 희언에게 이것저것 알려주기 시작했다. 결제하는 방법, 보드게임 하는 방법, 참여 행사를 진행하는 방법 등 기념품 가게에서 일할 가장 기본적인 것들로 보였다. 계산대 근처에서 인배의 설명을 귀담아듣고 있던 희언은 인배가 무심코 지나친 물건을 하나 발견하고 재빠르게 질문을 던졌다.

"이 행운권은 뭐에요?"
맹하던 희언의 얼굴이 갑자기 밝아졌다.

"아, 일종의 복권이에요. 랜덤 사은품. 뭐, 재미로 놓아둔 거죠."
"비싼 것도 나오나요?"
"저 보드게임이랑 독립운동가 피규어도 가끔 나오더라고요, 본전은 훨씬 넘긴 하죠."
"아…"
그다지 인상적이지 않았는지, 희언은 행운권에 보이던 관심도 행운권과 함께 계산대에 내려놓았다. 손에 뭐라도 묻었는지 희언은 양손을 탈탈 부딪치며 털었다.

"근데 왜 하필 여기에요? 다른데 알바도 많은데?"
"다른데는 교정시설 갔다 온 애는 아예 안 받아주거든요. 근데 여기는 뭐 기회를 준대나? 그래서 여기 왔어요."

"아, 그렇구나."

인배는 딱히 크게 반응하지 않았다. 희언은 급 지루해 보이는 얼굴을 하고선 기념품 가게를 둘러보았다. 일에 대한 기대 역시 행운권과 함께 내려놓았는지 희언의 얼굴은 어느새 사막처럼 건조하기 그지없었다.

희언이 새로 아르바이트 할 곳을 둘러본 그날 자정, 아무도 찾지 않을 독립기념관 구석의 후미진 곳. 허공에서 작은 균열이 생기며 안에서 작은 불빛이 새어 나온다. 붉은 불빛은 살아있는 듯 일렁였다.

옹기종기 여학생들이 모여 급식실 앞에서 줄을 길게 서 있다. 다들 끼리끼리 어울려 수업 시간에 못다한 수다에 정신이 없지만, 희언은 혼자다. 희언은 배식을 해주는 아주머니들께 인사한 뒤 급식실 구석에 앉았다. 그 누구도 희언의 근처에는 오지 않았다. 마침내, 학생 두 명이 희언 근처로 다가왔다. 이내 빈자리를 확인하고는 앉으려 했다.

"어?"

학생들은 희언의 얼굴을 보자 놀란 듯 멈췄다. 학생들은 희언의 얼굴을 확인한 뒤 오도 가도 못한 채 자리에 앉을지 망설였다.

"다른데 앉자."

한 학생이 겨우 입을 때자 그들은 다른 곳으로 갔다.

희언은 고개를 숙이고 밥을 먹었다. 천천히, 천천히 밥을 꼭꼭 씹어 삼켰다.

점심시간이 지난 교실은 졸음이 스멀스멀 올라오는 모습이다.

"자, 만해 한용운 선생님이 조선 총독부 때문에 자신의 집을 이렇게 했어. 여기 빈칸에 들어갈 말은 뭘까?"

누가 역사 교사 아니랄까봐 보란 듯이 생활 한복을 입은 근현대사 선생은 칠판에 쓴 빈칸에 들어갈 말이 뭔지 학생들에게 물었다. 희언은 수업에 관심이 없어 보였다. 그냥 희언은 교실 안 어딘가, 공기 중 원자 하나를 보고 있는 듯한, 아무런 생각도, 감흥도 없는 모습이다. 그저 시공간 어디에나 존재하는 하나의 원자처럼 희언은 공기 중에 있을 만한 또 다른 원자를 보고 있을 뿐이다.

선생은 이런 희언을 발견했다. 넋을 놓은 채 앉아 있는 희언. 선생은 희언에게 무슨 말을 하려다 다른 학생들을 보고 말을 이었다.

"아무도 몰라? 그럼 찍기라도 해봐!"

"불 질렀어요!"
"지언아, 불을 왜 지르냐아아~! 선생님은 어디 사시라고."
몇몇 아이들이 웃었다. 순간 올라왔던 졸음이 도망간 듯, 학생들의 얼굴에 잠시 생기가 돌았다.

"창문을 없앴어요!"
"왜?"
선생이 놀라며 물었다.

"일본 놈들 보기 싫으니까!"
"아주 좋은 접근이다!"
선생은 손가락으로 방금 답한 학생을 가리키며 칭찬했다.

"한용운 선생님은 조선 총독부가 보기 싫어서 집을 북향으로 지으셨다!"
역사 선생은 뒤로 돌아 칠판에 '북향으로 지었다'라고 휘갈겨 적었다.

"에이, 그걸 어떻게 알아요?"
학생들은 선생에게 야유를 보냈지만, 선생은 꿋꿋이 할 말을 이어 나갔다.

"니들이 모르니까 가르쳐주지, 이 인간들아! 그만큼 조선 총독부는 우리 조상들에게 치욕의 상징이었다 이거야!"
선생은 말을 이었다. 선생이 열변을 토하든, 학생들이 야유를 보내든, 희언은 여전히 공기 중에 또 다른 원자를 바라보고 있을 뿐이다.

활력이 넘치다 못해 폭발하는 여고생들의 하굣길. 모두가 짝과 쌍을 이뤄 교문을 빠져나가고 있다. 희언은 다른 학생들과 함께 하교하고 있지만, 혼자 걷고 있다. 기분 때문인지 다른 모든 학생이 희언을 피해 가는 것 같기만 하다. 학교에서 조금 멀어지자, 희언의 주변에는 정말 아무도 없다. 그렇게 희언은 혼자 한참 동안을 걸어갔다.

온갖 가게들이 두서없이 늘어서 있는 희언의 동네.

"이봐 김 사장, 얼마 전에 경매 나간 도자기가 얼마라고?"
"천만 원, 천만 원."
천만 원이라는 말에 희언은 멈춰 섰다. 오래된 골동품 가게 앞에선 남자들의 입에서 나오는 소리다. 희언의 귀는 남자들의 대화를 따라서 꿈틀꿈틀 움직이는 듯 했다. 그들은 천만 원이니, 이천만 원이니 눈이 휘둥그레질 만한 돈 이야기를 멈추지 않았다. 이에 호기심이 일어난 희언은 가게 유리창에 얼굴을 붙이고 안을 훑어봤다. 작은 금속 조형부터 큰 백자 항아리까지, 잡다한 물건들이 즐비하다.

희언의 심장이 다시 뛰었다. 어제 본 TV프로그램에서도 그렇고, 방금 남자들이 이야기한 감정가 때문에 희언의 마음이 골동품에 홀린 듯했다. 작은 골동품 가게 안에 있는 모든 물건이 값어치가 나가 보였다.

"혹시 그 상자가 천만 원이면…. 아니, 그보다 더 비싼 걸지도 몰라. 그럼 할머니 병원도 가고, 할머니 수술도 하고."
희언은 아마도 할머니 서랍장에서 본 그 상자를 떠올리나 보다. 오래된 상자를 생각하며 할 수 있는 것들을 곱씹는 희언. 아무도 듣지 못할 작은 목소리지만 희언의 목소리에는 간절함이 배어있다.

"에이, 그래도 할머니 건데."
지금까지 할머니가 간직해 온 것이라면, 그리고 아직 희언에게도 보여준 적이 없는 것이라면 그건 분명히 할머니에게 특별한 물건임이 확실했다.

"하아."
희언의 한숨과 함께 어깨가 같이 내려앉았다. 희언은 고개를 가로 저으며 가게 앞에서 겨우 발을 뗐다.

3

바쁜 토요일 오전의 병원. 희언은 할머니를 부축해 와 대기실 의자에 앉혔다.

"할머니, 금방 수납하고 올게."
희언은 수납 창구로 가 병원 직원에게 인사했다. 그리고 카드를 꺼내 결제를 하는 희언. 창구직원이 소심하게 희언에게 카드를 내밀었다. 직원의 작은 목소리가 카드를 뒤따라왔다.

"아, 잔액이 부족하네요."
희언은 다른 카드를 꺼냈다. 역시 잔액이 부족했다. 이후 두 번 더 카드를 바꾸고 나서야 희언은 결제할 수 있었다. 이를 지켜보던 간호사가 희언을 불렀다.

"희언 학생, 잠깐 볼래요?"

간호사는 희언을 조용한 병원 복도로 데려갔다. 간호사의 표정은 건조했지만, 그녀의 말에는 걱정이 묻어있었다.

"할머니는 병원 더 자주 오셔야 해요. 약도 안 빠뜨리고 드셔야 하고."
"네네, 걱정하지 마세요, 이제 알바 시작하고, 알바 하는 데서 장학금도 준다고 해서 자주 올 수 있어요."
그렇게 희언은 수납 직원과 간호사를 안심시키고, 돌아가 할머니 옆에 앉았다. 희언의 오른손에 매달려 있는 처방전. 처방전은 빼곡히 적힌 약 이름들이 무거운지 희언의 손에서 축 늘어져 있다.

"할머니, 오늘 검사 받는다고 고생 많았어. 얼른 들어가서 쉬자."
희언은 할머니의 팔짱을 낀 채 할머니를 일으켜 세웠다.

해가 기울기 시작하는 희언의 동네.

희언의 팔을 잡은 할머니는 힘겹게 마지막 계단을 올라왔다. 자기 집 문앞까지 올라온 희언은 뒤를 돌아 동네의 전경을 살폈다. 대중없는 가로등과 전봇대, 실타래처럼 엉킨 전깃줄과 낮은 집들. 이 모습이 바로 뒤 고급 아파트 단지와 대조되어 독특한 분위기를 자아냈다.

"아이고."
방으로 들어온 할머니가 연신 앓는 소리를 내었다.

"기다려 봐, 내가 이불 깔아 줄게."
희언은 병원을 다녀온 할머니가 한숨 주무실 수 있도록 이불을 바닥에 폈다. 이불이 바닥에 깔리자 할머니는 바닥에 있는 액자를 손으로 쓱 닦았다. 액자를 확인한 할머니는 이불 안으로 들어갔다.

"아이고, 고생했다. 언아."
"할머니도 피곤할 텐데 일찍 자."
할머니는 대답 없이 이불을 자기 몸에 맞게 고쳤다. 할머니가 왼쪽으로 돌아눕자 희언은 방 불을 껐다. 그리고 책상에 있는 등을 켰다. 희언은 책상 서랍을 열어 각종 고지서를 꺼냈다. 전기세, 수도세, 가스비에 알뜰폰 요금까지. 각종 고지서가 책상을 덮고 있었다. 그리고 마지막 고지서에 깔려있던 통장을 열었다.

"하아."
뱉어낸 숨은 짧지만, 멀리도 날아갔다. 한참 고지서와 통장을 챙기던 희언은 어느새 잠든 할머니를 쳐다 보았다. 너무나도 조그마한 할머니의 등. 희언은 이불 속으로 들어가 할머니 등을 안고 누웠다. 따뜻한 할머니의 등.

중학교 때 희언은 이곳으로 전학을 왔다. 부모님이 교통사고로 돌아가시자마자 할머니 집으로 들어온 것이다. 전학 온 첫날, 조회 시간에 할머니는 머리에 떡을 지고 학교를 찾아왔다. 빨간 대야에 가득 담긴 떡. 콩고물이 노랗게 묻어있는 쑥떡. 할머니는 손수 일회용 접시와 나무젓가락을 돌려가며 같은 반 학생들에게 떡을 나눠줬다.

조례가 끝난 후 희언은 화장실에서 이성을 잃었다. 교복은 줄일 대로 줄이고, 화장은 화장대로 한 채, 서로에게 담배를 건네며 콩고물 잔뜩 묻은 쑥떡을 화장실 변기와 바닥, 세면기에 던지며 장난치는, 그러면서 "미친 할망구 새끼, 이런 걸 왜 사 오지?" 라며 흉을 보고 웃고 떠드는 네 명의 아이들.

희언이 정신을 차렸을 때, 네 아이들은 피가 흥건한 화장실 바닥 위에서 의식이 없었다.
희언이 교정시설을 나와 고등학교 1학년으로 들어갈 때도 할머니는 떡을 하지 못해서 아쉬워하셨다.

콤콤하면서도 달콤한 냄새의 할머니 등. 이런 할머니의 등은 언제나 기분이 좋다. 할머니를 꼭 안은 희언은 눈을 감았다.

해가 지면서 마감이 가까워진 독립기념관.
"희언 학생, 다른 건 뭐 문제없죠? 통근버스 6시 20분에 있으니까 놓치지 말고! 일 생기면 바로 전화해 줘요, 오늘 일찍 가서 미안해요!"
인배는 뭐가 그리 급한지 뛰어서 밖으로 나갔다.

마감 시간이 가까워진 기념품 가게는 한산하다. 하지만 적은 손님에 비해 뭔가 모르게 소란스러웠다. 선반 위 작은 유관순 열사 흉상 앞에서 발을 떼지 못하는 한 여자. 그리고 여자의 치맛자락을 당기며 가지고 조르는 아이.

"엄마, 그냥 가자."
"알았어. 조금만 있어 봐."
여자는 유관순 열사의 흉상에 조악하게 묘사된 옷고름을 조심스레 만졌다. 그리고 머리와 어깨에 쌓인 먼지를 손으로 닦았다. 그리고 옆에 있던 다른 흉상의 머리와 어깨의 먼지도 손으로 닦았다.

"엄마, 빨리! 그냥 가자."

아이의 웅석에 이기지 못하고 여자는 기념품 가게에서 끌려 나왔다. 여자는 나가면서도 기념품 가게를 쓱 훑어봤다.

독립기념관 어두운 구석, 허공에서 균열이 생긴 곳. 그 균열은 어느새 사람 한 명이 들어갔다 나왔다 할 정도로 큰 틈이 생겼다. 그 안에서는 붉은빛이 긴 가시처럼 새어 나왔다.

기념관 조명은 마감 시간이 되자 하나하나씩 꺼졌다. 희언은 가게를 정리했다. 기념품 가게 주변의 조명도 이제 다 꺼져 있고, 희언의 퇴근을 도울 간이 조명만이 남아있다. 희언도 계산대의 컴퓨터를 끄고 가방을 챙기며 밖으로 나갔다.

"어라? 저게 뭐지?"
희언은 기념관 면 구석에서 지금까지 보지 못했던 신비롭지만 섬뜩한 붉은 불빛을 발견했다. 그 불빛은 빠르게 일렁이며 조금씩 강해지고 있었다. 희언은 주변을 둘러보았지만 어찌한 일인지 근처에는 아무도 없었다. 호기심이었을까? 두려웠지만 희언은 조심스레 불빛 쪽으로 향했다. 심장이 미친 듯이 뛰었다. 희언의 호흡도 깊고 빨라졌다. 점점 가까워지는 불빛. 불빛 때문에 기념관 안이 마치 피로 물든 것 같아 기분이 나빠졌다.

"제발 누가 휴대전화라도 흘리고 간 거였으면 좋겠다. 보상금이라도 좀 받을 수 있게."

시답지 않은 농담을 하며 겁을 떨치려는 희언이었지만, 움츠러든 희언의 등은 거짓말을 하지 못했다. 희언은 불빛이 나오는 복도의 모퉁이까지 벽에 기대어 살금살금 걸었다. 무슨 소리가 들리는 것 같기도 하고, 그림자가 일렁이는 것이 뭔가 움직이는 것 같았다.

꿀꺽.

고요에 잠긴 기념관 안에서 희언의 침 삼키는 소리는 쓸데없이 선명했다. 희언이 빛이 나오는 모퉁이 안쪽으로 슬쩍 고개를 내미는 순간,

"악!"

희언은 크고 흰 무언가에 공격을 받아 쓰러졌다. 희언은 눈치가 빨랐다. 희언은 사태를 파악할 틈도 없이 도망치기 위해 일어났다. 하지만 이게 웬일인가. 가까스로 일어난 희언 앞에는 난생처음 보는 생명체가 희언을 바라보며 아니, 눈이 없으니 희언을 향해 공격적인 자세를 취하고 있었다. 핏빛을 어렴풋이 뿜어내는 괴생명체. 이 녀석 등 가운데의 둥근 홈. 아니, 홈이 아니라 상처인가? 그 홈 때문에 희언은 생명체의 모습을 어렵게나마 볼 수 있었다. 흰색의 피부에 털이 없는 큰 개 또는 하이에나의 모습. 놈의 피부는 너무 매끈해 양서류의 그것과

닮아 보였다. 생명체의 얼굴로 보이는 부위에는 눈이 없었지만, 피부와 이어진 입에 촘촘히 박힌 이빨들과 파르르 떨리는 턱, 그리고 턱에서 천천히 떨어지는 침, 얇은 피부 때문에 희끗희끗 보이는 검붉은 핏줄.

세상에나! 이 모두가 조화롭게 어울려 최고의 불쾌함을 만들어 냈다. 때문에 희언은 이 생명체가 '백구야'라고 부르며 친해지길 시도해야 할 녀석이 아니란 걸 직감했다. 희언은 곁눈질로 출구의 방향을 찾으며 뛸 준비를 했다. 출구를 찾은 희언은 순식간에 일어나 냅다 뛰었다.

퍽!
또 다른 한 마리 괴생명체가 반대편에서 튀어나와 희언을 다시 쓰러뜨렸다. 멀리까지 미끄러지다 멈추는 희언.

"으, 으…"
희언은 왼쪽 옆구리를 부여잡으며 온몸을 구겨 접었다. 희언은 고통을 참으며 몸을 일으켰으나, 어느새 희언은 여덟, 아홉 마리의 괴생명체에 둘러싸여 있다. 희언은 앉은 채로 뒷걸음질 쳤다. 점점 희언 가까이 다가오는 괴생명체들. 그중 가장 큰 놈이 무리 사이에서 나왔다. 그리고 녀석은 천천히 희언 쪽으로 다가왔다. 놈과 희언은 점점 가까워졌다. 희언이 다시 일어나 도망치려는 순간, 녀석은 입을 벌리며 희언을 향해 뛰었다.
희언은 양손을 머리까지 올리며 눈을 질끈 감았다.

펑!
무언가가 터지는 소리에 놀라 희언이 눈을 떴다. 희언을 공격
하려던 녀석은 희언의 오른쪽에 나가떨어져 있었다. 검게 그을
려 있는 녀석의 배. 그리고 나머지 녀석들은 소리의 근원지를
쳐다보며 이빨을 드러냈다.

"아우, 이 강아지들아! 이건 먹는 게 아니에요, 침 질질 흘리지
마세요."
트렌치코트를 입은 남자가 어둠 속에서 나타났다. 남자의 양손
에는 정육면체의 물체가 빛을 내며 이글거리고 있다. 이를 본 '
강아지'들은 다시 이빨을 크게 보이며 남자에게 달려들었다.
이때, 어둠 속에서 검은색 옷을 입은 남자가 나와 왼손에서 강
력한 기운을 뿜으며 다른 한 마리를 쓰러뜨렸다. 때마침 몇몇
놈들은 무방비 상태인 희언을 공격했다. 순간, 붉은색 옷의 여
인이 나타나 푸르게 빛나는 큰 에너지 장벽을 만들어 희언을
보호했다. '강아지'들은 이 장벽에 부딪혀 나가떨어졌다. 놈들
은 관심이 다른 곳으로 옮겨가자 붉은색 옷의 여인은 자신과
희언을 투명으로 만들며 사라졌다. 옆에서는 얼굴에 큰 상처
가 난 건장한 여인이 양손에 괴생명체를 각각 한 마리씩 잡아

꼼짝 못 하게 하고 있었다.

"어딜 감히!"
기합 소리와 함께 괴생명체를 들어 올려 땅에 매치는 여인. 마지막으로 흰색 옷에 안경을 낀 남자가 허공 속에서 푸른 빛을 내며 나왔다. 그는 남은 괴생명체들을 안경에서 뿜어내는 강력한 푸른 기운으로 가볍게 제압했다.
쓰러진 괴생명체들 몸에서 새어 나오는 붉은 빛. 쓰러진 녀석들은 빛나는 붉은 가루가 되어 한곳으로 흘러갔다. 가루들이 한곳으로 모인 곳에는 인간의 형체가 있었다. 흰 갑옷에 붉은 오니 가면을 쓴 남자.

"오니토."
코트를 입은 남자는 흰 갑옷의 남자와 안면이 있는지 그의 이름을 나지막이 내뱉었다.

오니토라 불리는 남자는 자신의 몸 속으로 붉은 가루들을 흡수했다. 코트를 입은 남자와 얼굴에 상처가 난 여자는 오니토를 향해 달려들었다. 순간, 오니토는 강한 붉은 기운을 뿜었고, 이에 오니토를 공격하던 두 명은 붉은 기운에 부딪혀 크게 뒤로 나가떨어졌다. 다시 오니토는 순식간에 붉은 기운을 이리저리 내뿜으며 남은 세 명을 위협했다. 오니토를 상대하던 이들은 기세에 눌려 아무것도 하지 못했다. 이에 더는 볼일이 없는지 오니토는 붉은 안광을 뿜으며 균열 속으로 빠르게 사라졌다. 붉게 빛나던 균열도 그를 따라 순식간에 사라졌다. 희언은 아무 말도 못 한 채 바닥에 앉아 자신을 구해준 사람들을 지켜볼 뿐이다.

4

"저기 학생? 저 녀석들이 보여?"

"아니, 물어보는 순서가 틀렸어. 잘 봐! 어떻게 하는지. 괜찮아
요, 학생?"

긴 트렌치코트를 입은 남자의 말을 막고 여자는 희언에게 말
을 걸었다. 여자의 얼굴 반을 뒤덮고 있는 큰 상처. 그러나 상
처는 이상하게도 무섭거나 징그럽지 않았다. 그녀는 아직도 희
언을 보며 어색하게 웃고 있다.

"우리도 보이는 것 같은데?"

한 손으로 충격파를 쏘던 남자가 희언의 눈치를 봤다. 이에 희
언은 고개를 여러 번 끄덕였다. 끄덕임이 얼마나 빠르고 다급
했는지, 상황을 모르는 사람이 봤다면 경련을 하고 있다고 오
해할 정도였다.

"와! 우리도 보인다!"

트렌치코트를 입은 남자가 반색하며 기뻐했다. 그의 왼쪽 가슴에는 육각형의 태극무늬가 있었다. 희언은 자신 앞에 나타난 다섯 명의 의문의 사람들이자 생명의 은인들을 번갈아 쳐다봤다. 이런 희언의 행동을 보고 안경을 낀 남자가 나섰다. 그가 나서자 다른 네 명이 뒤로 물러섰다. 어마어마한 덩치를 가진 사람이었지만, 전혀 위협적이지 않은 태도와 분위기였다.

"우리가 보이나요?"

낮고 근엄한 저음의 목소리.

"저, 저요?"

"그러면 여기 학생 말고…"

트렌치코트의 남자가 말을 시작하자 얼굴에 상처가 난 여자가 팔꿈치로 코트의 옆구리를 쿡 찔러 말을 막았다.

"네, 우리가 보이는군요."

"네, 네."

안경 낀 남자의 가슴에는 금빛으로 9라는 숫자가 적혀있었다. 남자가 살짝 고개를 좌우로 돌려 나머지 사람들을 쳐다보았다. 그러자 그들은 희언 앞에서 좌우로 모여 섰다.

"우리는 역사의 수호자들입니다."
작고 낮지만, 기념관을 가득 채울 만큼 명료한 소리였다.
달이 또렷이 보이는 밤, 어느새 시간은 9시를 넘기고 있었다.

"역사의 수호자?"
희언의 얼굴이 물음표로 변했다.

"여기는 결단의 수호자, 잘린 손가락을 기계로 대체한 똑똑하고 현명한 친구죠."
안경 낀 남자는 희언에게 다른 이들을 소개했다. 손으로 충격파를 쏘던 남자가 손을 인사하듯 흔들었다. 그의 왼손바닥과 약지는 독특하게도 로봇 같아 보였다.

"이쪽은 희생의 수호자, 손에서 강력한 정육면체의 폭발물을 만들어 냅니다."
희생의 수호자는 자랑이라도 하듯 손에서 이글거리는 정육면체를 만들어 냈다.

"아, 저건 먹는 게 아니라니까…"
희언은 결단의 수호자의 말이 기억이 났는지 안경을 쓴 남자에게 맞장구를 쳤다.

"이쪽은 용기의 수호자, 딱 봐도 강해 보이죠?"
얼굴에 큰 상처가 있는 용기의 수호자. 건장한 근육질의 그녀가 희언에게 손을 흔들었다. 희언도 이에 홀린 듯 손을 가볍게 흔들었다.

"마지막으로 이쪽은 신념의 수호자. 보셨겠지만 재주가 많은 친구입니다."
신념의 수호자도 희언에게 손을 흔들었다.

"그리고 저는 화합의 수호자라고 불립니다."
안경 낀 남자가 자신을 소개했다.

수호자들의 소개가 끝나자 화합의 수호자가 허공에 손짓했다. 그의 손이 지나간 자리에 푸른 연기가 빛을 내며 서서히 우리나라 지도의 모양으로 바뀌었다.

"우리 수호자들은 대한민국 여러 곳에서 한국의 역사를 지키고 있습니다."
푸른 연기는 남자의 말과 행동에 따라 모양을 바꾸며 남자의 말을 도왔다.

"약 400년 전 조선 침략에 실패한 일본의 치욕은 엄청난 것이었습니다. 그 치욕과 패배의 부끄러움은 형체를 만들어 결국 악마를 만들어냈죠. 흑사라고 불리는 그 악마는 400년 동안 일본이 조선을, 그리고 대한민국을 침공하도록 영혼의 세계에서 일본을 도왔습니다."

푸른 연기는 다시 모양과 색을 만들며 조선을 침공하는 일본군들을 묘사했다.

"하지만 우리 조상의 얼도 만만치 않았습니다. 과거의 조선과 대한민국 여러 곳에서 조상의 이로운 기운과 얼은 우리와 같은 수호자들을 만들어 냈습니다. 간단히 설명하면, 일종의 영혼이죠. 우리는 나라를 지킨 위대한 인물, 아름다운 보물과 유적 등의 외형을 빌려 몸을 빚어냈습니다. 그리고 그들의 업적과 의미를 따라 힘을 만들고 키웠죠. 우리는 그 힘으로 각자의 자리에서, 오늘 우리 대한민국의 역사를 지키고 있습니다."

푸른 연기는 첨성대와 첨성대의 외형을 빌린 수호자와 행주산성과 행주산성의 외형을 빌린 수호자의 모습을 보여주었다.

"우리는 영혼의 세계에서 수백 년, 혹은 수십 년 동안 흑사와 그의 부하들이 현실 세계로 넘어오지 못하도록 막고, 또 현실 세계로 넘어오면 이들을 제압했습니다."

푸른 연기는 형태를 바꾸며 흑사의 부하들과 수호자들이 뒤엉켜 싸우는 모습을 연출했다.

"역사를 지킨다니 참 이상하죠?"
붉은 옷이 아름다운 신념의 수호자가 화합의 수호자의 말을 거들었다. 희언은 아직도 뭔가에 홀린 듯 넋을 놓고 고개를 끄덕였다.

"흑사의 힘은 매우 강합니다. 흑사와 그의 부하들은 한국의 보물이나 위인의 힘을 흡수하여 힘을 키울 수도 있고, 그 힘을 흡수하면서 위인과 보물에 관련된 역사까지도 지우거나 바꿀 수 있거든요."
화합의 수호자의 말이 끝나자 푸른 연기는 흑사가 훈민정음을 흡수하는 모습을 보여줬다. 그 후 푸른 연기는 한국말 대신 일본어를 쓰는 대한민국을 묘사했다.

"허!"
희언은 미간을 좁히며 숨을 짧게 뱉었다.

"우리는 이 위험을 계속 안고 갈 수 없었습니다. 흑사를 살려두면 역사가 바뀔 수 있는 위협은 언제나 존재하니까요."
푸른 연기는 한반도 지도 위에 있던 태극기를 일장기로 바꿔버렸다. 깃발 가운데에 있는 붉은색 원이 무섭도록 눈에 띄었다.

"1919년 4월 1일, 만세운동이 아우내장터에서 최고조를 이룰 때였습니다. 우리의 힘도 매우 강했죠. 만세를 외치며 나온 사람들의 기운을 받아서였습니다."
푸른 연기 덩어리들이 얽히고설켜 만세운동을 하는 사람들로 변했다.

"만세운동 중 김복희 선생님 얼굴에 큰 상처가 났죠."
용기의 수호자가 자신의 흉터를 가리키며 말을 받았다.

'1919년 4월 1일.'
희언은 그 숫자들을 속으로 곱씹었다. 화합의 수호자는 말을 이었다.

"우리 중 가장 강력한 수호자, 위대한 수호자는 흑사와 치열하게 싸웠습니다. 하지만 이 끈질긴 전쟁을 끝낼 방법은 단 하나라고 생각했죠."
푸른 연기는 흑사와 싸우는 위대한 수호자를 묘사했다. 댕기머리와 머리카락 끝에 달린 붉은 댕기, 흰색 저고리와 검은 바지, 그리고 길게 휘날리는 붉은 망토와 빛나는 눈빛. 희언은 위대한 수호자의 아름답고 강한 모습에 넋을 잠시 잃었다.

"위대한 수호자는 자기 몸을 희생시켜 흑사를 산산조각 만들어 버렸습니다. 위대한 수호자와 흑사는 함께 빛이 되어 영혼의 세계에서 사라졌죠."
흑사와 뒤엉켜 싸우던 위대한 수호자는 강렬한 빛을 뿜으며 사라졌다.

"흑사가 그렇게 사라진 지 100년. 놈은 오랜 시간 보이지 않았지만, 최근 사람들이 잘못된 역사관과 역사의식에 빠지고, 역사에 관한 관심과 애정이 식자, 부하들과 함께 영혼의 세계로 다시 돌아왔습니다. 심지어 영혼의 세계와 현실을 구분하고 있던 장벽까지 무너져 이렇게 흑사의 부하들이 세상 밖으로 나오기 시작했습니다."
화합의 수호자는 푸른 기운을 다시 움직여 오니토와 그의 부하들을 표현했다.

"방금 균열이 열린 곳에서 보인 괴물은 무안견으로 흑사의 충직한 부하인 오니토가 이끄는 군대입니다."
푸른 기운은 무안견으로 바뀌었다. 여기서도 무안견은 침을 흘리고 있다.

"그리고, 오니토는 아주 강력한 힘을 가진 자입니다."
수호자들을 제압하는 강력한 오니토의 모습으로 변한 푸른 기운. 그리고 푸른 기운으로 묘사된 네 명의 수호자. 수호자들은 모두 바닥에 쓰러져 있었다. 그들 위에서 오니토는 화합의 수호자의 노란색 망토를 잡은 채 무섭게 서 있다. 화합의 수호자는 오니토의 손에서 힘없이 늘어져 있었다. 이른 본 희언은 말없이 침을 꿀꺽 삼켰다.

"놈은 독립운동가들의 유산과 흔적으로 힘을 얻고, 그 힘이 충분해지면 역사의 일부분을 바꿀 수 있을 만큼 강한 녀석입니다."
오니토의 모습이 점점 커지며 기념관을 가득 채웠다.

"놈은 역사를 바꾸어 대한민국을 일본의 땅으로 만들기 위해 현실 세계로 넘어왔고요."

뭐? 대한민국을 일본의 땅으로 만들어? 희언은 이런 얼토당토 않은 소리를 믿고 싶지 않았다. 전보다 미간이 더 좁아진 희언. 하지만 눈 앞에 있는 다섯 명의 수호자들을 보고 있으니 믿지 않을 수도 없었다.

"그래서 우리는 그들을 막으려고 이 세계로 왔습니다. 그리고 우리가 추측하기엔…"
그가 희언의 교복 이름표를 보고 말했다.
"아마도 희언양이 우리를 부른 것 같군요."

5

"네? 제가요?"

"네. 우리가 현실 세계로 나올 수 있는 통로를 만드는 사람을 찾기는 힘듭니다. 하지만 희언양 근처에서는 우리가 쉽게 이곳으로 올 수 있네요."

"저 근처에서만요?"

"네, 희언양의 근처에서만요. 저 무안견들도 우리도 누구에게나 쉽게 보이지 않는데, 우리가 보이는 것 보니 매우 특별한 사연이 있는 것 같군요."

"아니요, 그런 거 없는데?"

"우리가 여기에 있다는 것, 그리고 우리가 보인다는 건 희언양이 우리를 불렀을 확률이 매우 높아요."

"정말요? 저는 안 불렀는데…"

희언은 고개를 좌우로 저으며 수호자들의 말을 부정했다.

"잠시만, 그러고 보니 그냥 평범한 학생이잖아!"
코트를 날리던 희생의 수호자가 희언을 자세히 살피다 말했다.

"혹시 전쟁에서 공을 세우거나, 나라를 위해 목숨을 바치거나
했나요?"
희언이? 설마 그럴 리가 없다.

"아니요."
희언은 고개를 크게 저었다.
"아니면 역사를 공부한다거나, 뭐 한국사에 특별한 애정이 있
다거나?"
설마? 역시나 희언은 또 고개를 크게 저었다.

"우선 설명을 끝내는 게 어떨까?"
결단의 수호자가 화합의 수호자가 계속 설명하도록 도왔다. 희
생의 수호자는 질문을 멈추고 깊게 팔짱을 꼈다. 이에 화합의
수호자는 설명을 이었다.

"오니토는 현실 세계로 나온 이상 독립운동가들의 유산이나 유
물, 흔적들을 흡수할 것입니다. 그리고 그것들을 흡수하면서
점점 더 강해질 것이 분명하고요."
화합의 수호자는 손바닥을 자신의 가슴에 얹혔다.

"이를 막아야 하는 게 우리 임무입니다."

희언이 침을 꿀꺽 삼켰다.

"하지만 여러 유물과 유적의 기운을 흡수하고 강해진 오니토는 우리가 막을 수 있는 상대가 아니에요. 우리는 이미 여러 번 패한 경험이 있습니다. 게다가 힘을 모은 오니토는 분명히 역사를 바꿀 겁니다. 그를 막기 위해서는 위대한 수호자의 도움이 필요하죠."

"방금 보여주신 그 위대한 수호자요?"

"네."

"위대한 수호자는 사라졌다고 하지 않았나요?"

"맞아요. 하지만 위대한 수호자는 이 근방에서 가장 위대한 보물 속에 있다고 전해집니다. 그녀가 자신을 희생하기 전 그렇게 말했거든요"

"세월이 흘러 자신이 필요하면 자신이 사라진 곳에서 가장 위대한 보물을 찾으라고 했죠."

신념의 수호자가 화합의 수호자의 말을 도와 조금 더 자세히 설명했다.

"아, 그럼 가장 위대한 보물을 찾으면 오니토를 잡을 만한 위대한 수호자가 나오는 건가요?"

"그렇게 우리는 믿고 있어요."

44

"근데 보물은 보물이죠?"

"아…그럼요. 보물이죠."

희언은 생각을 정리했다. 말도 안 되는 일들이 순식간에 일어난 것에 비해 상당히 침착한 모습이었다.

"게다가, 보물을 얻을 자격이 있는 자만이 보물을 찾고 위대한 수호자를 깨울 수 있어요. 우리를 여기로 불러들인 것을 보면 희언양은 충분히 보물을 찾을 자격이 되는 것으로 보이네요."

하긴 그만큼 위대한 보물과 강력한 수호자라면 아무나 찾을 수 있는 게 아님이 분명했다.

"잠시만. 그러니까 지금 이 친구한테 수호자 소환을 맡기자는 거야?"

희생의 수호자가 팔짱을 풀고 펄쩍 뛰며 대화 중간에 끼어들었다. 희생의 수호자는 희언이 미덥지 않나 보다.

"아니, 그냥 평범한 아이잖아! 진짜 평범한 아이라고!"

"이화학당의 학생들도, 광주 학생운동의 참가자들도, 유관순 열사도 그들이 목숨을 바칠 때 열여섯, 열일곱의 평범한 학생에 불과했었죠."

화합의 수호자는 희언을 변호했다. 이때 얼굴에 상처가 난 용기의 수호자가 끼어들었다.

"그거랑은 조금 다르지! 그들은 독립운동가잖아. 나라를 위해 목숨을 바친 이들. 여기 이 친구는 뭐, 뭐라도 되는 거야 그럼?"
용기의 수호자도 희생의 수호자의 말을 거들며 희언의 자격을 의심했다.

"이 아이에게 대한민국의 운명을 맡길 수는 없다니까!"
희생의 수호자는 희언을 계속 의심했다. 옆의 결단의 수호자는 다른 말이 없었다. 차가운 침묵이 마치 희생의 수호자에 동의하는 것처럼 느껴졌다.

"잠시만요. 저는 뭐 아무것도 결정 안 했는데요, 위대한 보물인지 뭔지를 찾을지."
틀린 말은 아니었다. 희언은 몇몇 수호자들의 불신과 반감에 관심이 없었다.

"자! 그러니까 이 근방에서 가장 위대한 보물을 찾으면 가장 위대한 수호자를 깨울 수 있다는 거네요?"
"그렇죠."
"그럼 그 위대한 보물이란 건 엄청난 가치를 지니고 있겠네요?"
"그렇죠, 값어치를 매길 수 없을지도 모릅니다."
"그럼…… 그 보물은 제 것인가요?"

희언의 말에 수호자들은 놀란 듯 서로의 눈치를 살폈다.

"봐봐! 보물에만 관심이 있다니까."
희생의 수호자는 예상했다는 듯 다른 수호자들에게 희언이 자격 미달임을 다시 한번 강조했다. 화합의 수호자가 잽싸게 희생의 수호자의 말을 가로챘다.

"보물을 희언양이 가지셔도 됩니다. 저희가 원하는 건 위대한 수호자이거든요."
희언은 가슴이 뛰었다. 흥분을 감출 수 없는지 숨을 깊게 들이마시고 빠르게 뱉었다. 상상 속에서의 희언은 이미 진품을 감정하는 TV 프로그램에 나와 수억 원대의 감정품과 함께 웃고 있었다.

잠시 생각을 하다 수호자들에게 질문하는 희언.
"오직 자격이 있는 자만이 그 보물을 찾을 수 있잖아요. 근데 만일 제가 자격이 없으면요?"
"우리를 불러낸 걸 보면 자격은 충분한 것 같은데요?"
희언을 믿어보려는 듯한 신념의 수호자는 희언이 보물을 찾기를 원하는 눈치였다.

"자격이라…아니에요. 저는…"

"거기 누구세요!"
야간 순찰을 하던 경비원이 희언을 발견했다. 손전등으로 희언을 비추는 경비원. 희언은 놀라 수호자들을 살폈지만, 수호자들은 어느새 사라지고 없었다.

"아, 죄송합니다. 제가 휴대전화를 잃어버렸는데, 여기 있네요."
희언은 휴대전화를 얼굴 가까이에 들고 경비원에게 확인시켰다. 상당히 오래된 기종의 휴대전화였다. 희언은 경비원을 안정시키고 기념관 밖으로 나왔다. 희언은 뒤를 돌아 기념관을 봤다. 수호자들과의 만남 때문인지 오늘따라 기념관이 더 특별해 보였다.

늦게 들어간 집은 쌀쌀했다. 희언은 방바닥을 손으로 만지며 할머니에게 말했다.
"할머니, 연탄이라도 때고 있지 그랬어. 너무 춥잖아."
"아니야, 옷 따뜻하게 입고 있어서 괜찮아."

희언은 밖으로 나가 번개탄에 불을 붙였다. 토치와 번개탄을 다루는 걸 보니 희언은 이를 한두 번 해본 솜씨가 아니었다. 아궁이 속 하얗게 탄 연탄 위에 번개탄을 놓고 잠시 기다리는 희언.
"위대한 보물이라…"

번개탄에서 불이 서서히 올라왔다. 아름답게 일렁이는 불꽃. 그제야 희언은 아궁이에 연탄을 넣었다. 얼마 남지 않은 창고 안의 연탄. 연탄의 구멍 사이 사이로 불길이 스며들며 아름다운 춤을 추기 시작했다. 순간 연탄 사이의 불꽃이 화합의 수호자가 보여준 위대한 수호자의 모습과 겹쳐졌다. 불이 붙은 걸 확인한 희언은 아궁이 뚜껑을 닫고 집 안으로 들어갔다.

바닥에 앉은 할머니는 힘이 없는지 약통 뚜껑을 열지 못해 씨름 중이었다.

"이리 줘. 내가 할게."
희언은 할머니의 약을 챙겼다. 할머니는 약을 삼키고는 얼마 후 자리에 누웠다. 잠들기 전 할머니는 바닥에 있는 액자를 고쳐 바르게 놓았다.

할머니가 잠이 들자 희언은 밖으로 나왔다. 손바닥만한 쪽마루에 앉아 생각에 잠긴 희언. 조금 전 기념관에서 수호자들은 휴대전화에 신비한 마법을 걸었다. 수호자들이 휴대전화로 희언과 문자 메시지 연락을 할 수 있다나 뭐라나? 믿기 힘든 소리였지만 희언은 수호자들에게 메시지가 가길 바라며 메시지를 쓰기 시작했다.

"제가 찾아 볼게요. 그 보물."

희언은 아직 전송 버튼을 누르지 못했다. 희언이 망설이고 있을 그때, 할머니의 기침을 게워 내는 소리가 방에서 새어 나왔다. 희언은 더는 망설일 이유가 없었다. 희언은 전송 버튼을 눌렀다.

6

한 낮의 따스한 봄 햇살이 희언의 교실 구석구석까지 들어오려고 기를 쓴다. 오늘은 더 격렬하게 교실 안 공기를 쳐다보고 있는 희언. 희언의 눈에는 영혼이 없다. 희언은 어젯밤 독립기념관에서 있었던 일을 생각하고 있었다. 이를 발견한 근현대사 선생이 희언에게 관심을 보인다. 선생은 몇 번을 망설이다 희언에게 말을 건다.

"희언아, 아우내 만세운동이 언제 일어났다고?
반의 모든 학생이 일제히 희언에게 집중했다. 하지만 학생들은 못 볼 것을 본 듯 순식간에 칠판과 선생님으로 눈길을 돌렸다.

"네?"
"집중 좀 해라, 희언아."
"아…1919년 4월 1일?"

"몇 월 며칠?"

"4월 1일요."

희언은 4월을 유난히 정확하게 발음하려고 애썼다.

"김복희 선생님이 일본 헌병들로부터 도망치다가 얼굴에 큰 상처를 입으셨어요."

희언은 뭔가에 홀린 듯 혼자 중얼거렸다.

"어, 어 그래. 잘했다."

희언은 어안이 벙벙한 얼굴이었다. 희언은 다른 학생들의 눈치를 보며 고개를 숙였다. 다른 학생들도 희언의 눈치를 보는 듯 억지로 수업에 집중하는 듯했다. 희언은 자세를 고치고 칠판을 봤다. 그리고 선생님이 중요하다고 하는 내용을 교과서에 동그라미를 쳤다.

희언은 오늘도 하굣길에 골동품 가게 앞에 섰다. 창문에 얼굴을 붙이고 안을 들여다보는 희언. 어제도 오늘도 골동품 가게에 팔 게 없는 건 마찬가지지만 미련이 남은 모습이다.

"그 상자. 아, 아니지! 그 위대한 보물인지 뭔지만 찾으면 되는 거잖아!"

큰 결심이라도 한 듯 몸을 세차게 돌려 창문에서 멀어지는 희언. 어라? 그런 희언의 눈에 땅에 떨어진 복권이 눈에 들어왔다. 골동품 가게 옆, 좁은 골목 앞에 떨어진 복권. 골동품은 골동품이고 복권은 복권이다. 보나 마나 긁고 버린 복권이 분명하겠지만 희언은 이를 잽싸게 주웠다. 손으로 살살 털어서 한번 더 확인해 보는 희언. 역시나 아무짝에 쓸모 없는 꽝 복권이다.

"에이, 그럼 그렇지."
주변을 살펴 버릴 곳을 찾는 희언. 그러다 말고 희언은 복권을 호주머니에 넣었다.

"야! 너 노래한 거 또 올렸더라, 너 내가 올리지 말라고 했지?"
골목에서 새어 나오는 짜증 섞인 목소리들. 희언은 이 소리에 이끌려 자연스럽게 골목 안으로 이동했다.
유난히 어두운 골목 안에서 뒤엉켜 있는 여학생들. 진한 붉은색 교복을 입은 세 명의 학생들이, 희언과 똑같은 남색 교복을 입은 여학생 한 명을 둘러싸고 있다. 남색 교복의 학생은 겁에 질린 듯 연신 몸을 움츠렸다.

"야, 그거 빼 봐."
빨간 교복의 학생은 자신의 귀를 손가락으로 가리키며 말했다. 남색 교복 학생은 조심스럽게 귀에서 무선 이어폰을 빼 붉은색 교복을 입은 한 학생에게 쭈뼛쭈뼛 건넨다.

"에이 씨, 닦아서 줘야지 이 새끼야!"
희언은 골목을 지나지 않고 그들을 가만히 보고 있다. 희언의 표정은 토요일 밤 교외 캠프장에서 캠프파이어를 보고 있는 연인들처럼 평온하기 그지없다.

"야, 뭘 봐 이 새끼야."
붉은색 교복을 입은 한 학생이 희언을 발견하고서 희언에게 욕지거리를 뱉는다.

"그냥 가라."
붉은색 교복은 희언을 계속 협박했다.
희언은 움직임도 말도 없다.

"뭘 보냐고 이 새끼야."
희언은 겁도 없이 여학생들을 향해 간다. 그중 뒤돌아 서 있던 학생이 희언이 다가오는 기척에 고개를 돌려 희언의 얼굴을 확인했다.

당황한 기색이 역력한 학생.
"야, 그냥 가자."

희언과 눈이 마주친 학생은 급하게 나머지 애들을 추려서 도망

치듯이 골목 반대편으로 빠져나갔다. 학생 중 한 명이 끝까지
더러운 소리를 질질 흘렸다.

"저년, 완전 미친년이야."
"야, 쟤 제일(제일중학교) 애들 패서 빵에 간 그 애, 맞지?"
"응. 완전 또라이야."
조용한 골목에서, 그들의 들릴 듯 말듯 속삭이는 소리가 유난
히 또렷하게 귀에 박힌다.

희언은 불량 학생들이 골목에서 사라지자 뒤돌아 다시 제 갈
길을 가기 시작했다. 이를 멀리서 따라가는 남색 교복 학생. 한
참을 빨리 걷던 희언은 그 자리에서 멈춰 뒤를 돌아본다. 양손
으로 가방을 꼭 쥐고 따라오던 남색 교복 학생도 희언을 따라
멈추어 선다.

"왜?"
따라오는 학생은 말이 없다.

"왜에?"
더 크게 물어보는 희언.

"그…저기…같이 가면 아, 안돼?"

남색 교복 학생은 찌그러지는 몸속에서 얼굴을 겨우 꺼내 희언
에게 물었다.

"하…맘대로 해."
또다시 한참을 걷는 두 학생.
그러다 갑자기 멈춰서는 뒤의 학생. 따라오는 발걸음 소리가
들리지 않자 이내 멈추는 희언.

"하…"
희언은 또 한차례 한숨을 크게 내쉰다. 역시나 희언은 눈치가
빨랐다. 뒤돌아 서서 따라오는 학생을 향해 큰 소리로 말했다.

"그래서, 어디로 가는데?"
"저, 저기 프, 프라임캐슬."
"아이 씨, 말을 해야 알 거 아니야!"
"으, 으응."
"이름은 뭔데?"
"응? 나?"
"아이 씨, 그럼 내가 여기서 너 말고 누구한테 물어보겠냐?"
"아…배, 배윤서."

 해가 지기 시작하고 거뭇거뭇 날이 어두워지는 밤. 희언과 윤

서는 떡볶이 집에 마주 보고 앉았다.

"그래서, 얼마나 됐는데?"

"으, 응?"

"응은 무슨 응이야. 쟤들이 너 돈 뜯은 지가 얼마나 됐냐고오~!"

"아, 중3 때부터니까 조, 좀 됐어."

"아이 씨⋯야! 이제 나랑 같이 집에 가."

"지, 진짜?"

"그럼 가짜냐?"

윤서는 방금 나온 떡볶이 때문인지, 이제 함께 하교할 희언 때문인지 시종일관 얼굴에서 미소를 지우지 못한다.

"너 뭐 또, 노래 뭐, 그건 무슨 말이야?"

"아⋯.아, 아무것도 아, 아니야."

"야, 그럼 나 집에 혼자 갈게, 뭐만 하면 아니야?"

"아, 아니야, 이거 봐봐."

윤서는 호주머니에서 이어폰 한쪽을 꺼내 자신의 치마에 쓱쓱 닦아 희언에게 건넸다. 그리고 윤서는 휴대전화 화면을 희언 쪽으로 향하게 돌렸다.

작은 화면 속 깔끔하고 정돈된 방안. 윤서는 기타를 들고 카메라 앞에 앉았다. 잠시 후 윤서의 목에서 노래가, 윤서의 기타에서 음악이 나오기 시작했다. 한참이 지나도록 희언은 말이 없다. 아니, 입을 다물지 못한다.

"헐…뭐냐 너? 아이유냐? 완전 아이유잖아! 장난 아니다. 장
난 아니라고! 너 오디션 같은 데는 안 나가?"
영상이 끝나자 희언이 겨우 침을 꼴깍 삼키고 말을 꺼낸다.

"아, 잘 모르겠어."
"우와! 장난 아니다! 장난 아니야. 진짜 장난 아니라고!"
"고, 고마워."
"이게 누구 노래야?"
"응? 캐, 캘리 클락슨, 내 최애. 이 사람도 오, 오디션 대회 우승
자 추, 출신이야."

차들이 라이트를 켜기 시작한 밤. 휴대전화로 한참 동안 윤서
의 연습 영상을 같이 보던 두 사람은 겨우 정신을 차리고 그제
야 어두워진 밖을 알아본다.

"어, 몇 시야? 나 할머니 약 사 들고 가야 하는데. 약국 문 닫기
전에 가야 해. 나 간다! 내일 보자!"
희언은 가방 속 지갑에서 1,000원짜리 네 장을 급하게 책상 위
에 올려놓았다. 꼬깃꼬깃 낡고 헤진 1,000원짜리. 희언은 어찌
나 급한지 분식집 문을 재빨리도 나선다.

"아, 안 줘도 되, 되는데."

윤서는 앞에 남은 떡볶이도 못 들을 만큼 작게 혼자 중얼거렸다. 그런데 갑자기 문을 다시 열고 들어오는 희언.

"너 최애가 누구라고?"

"캐, 캘리 클락슨."

"캘리 클락슨! 내가 꼭 들어 볼게! 나 간다!"

초봄의 밤은 아직 쌀쌀하다. 작고 고요한 방에서는 할머니의 힘겨운 숨소리만이 들린다. 오늘도 할머니가 잠이 들자 희언은 밖으로 나왔다. 기지개를 켜는 희언. 골목 밖을 나와 노란 가로등 불빛 밑에서 희언은 담벼락에 기대어 앉았다.

"가장 위대한 보물."

희언은 혼자 중얼거렸다. 담벼락은 누가 그리고 갔는지 바다 위에서 뜨고 있는 태양과 주변의 검은색으로 묘사된 소나무가 바다와 태양을 둘러싸고 있다. 희언은 호주머니에서 휴대전화를 꺼냈다. 휴대전화 바탕화면에는 어머니와 아버지, 희언의 오래된 셀카가 희미하게 빛나고 있다.

"하아…"

희언은 깊은 한숨을 내뱉었다. 어렴풋이 보이는 희언의 입김.

잊지 않았겠지만, 어젯밤 수호자들은 휴대전화에 마법을 걸었다. 희언은 문자 메시지로 수호자들과 소통을 시작했다. 게다가, 휴대전화로 오니토와 그의 부하들을 공격할 수도 있다는 사실! 그렇다. 휴대전화가 이제 오니토를 상대할 무기가 된 것이다.

"참나, 이걸 들고 내지르면 뭐가 나간다고? 장풍처럼?"
희언은 믿거나 말거나 휴대전화를 쥐고 팔을 뻗었다. 아무 일도 없다.

"그럼 그렇지. 안 되는데 뭐."
희언은 한번 더 팔을 뻗어 봤지만 역시나, 휴대전화는 아무런 반응이 없다. 하지만 어제 나타난 수호자들과 무안견, 오니토와 같은 일을 종합해 보자면 수호자들이 말도 안 되는 거짓말을 하지는 않았을 것이다. 이에 희언은 진지한 모습으로 정신을 다시 집중해 휴대전화를 앞으로 내밀었다.

파직!
푸른 기운이 전기파동처럼 날아가 앞의 벽을 때렸다. 하얗게 상처 난 벽에서는 푸른빛의 연기가 올라왔다.

"오호, 대박! 뭐야? 대박이다. 이야, 이거 진짜 되잖아!"

희언은 주변을 살폈다. 아무리 밤에 사람이 없는 동네라고 하지만 여기서 휴대전화의 마법을 시험해 보는 건 여러모로 위험하다. 희언은 동네 약수터로 올랐다. 가로등이 켜진 밤의 약수터 공터는 그대로의 매력이 있었다. 희언은 공터 구석에서 제법 큰 바위를 찾아 바위를 겨냥했다. 희언은 집 앞에서 했던 것처럼 휴대전화를 사용해 봤지만 아무런 반응이 없었다.

"그게 아무나 할 수 있는 게 아닐 건데."
"방금까지만 해도 됐으니 걱정하지 마세요."
희생의 수호자가 어느새 나와 의심어린 말투로 희언의 기를 죽이나 싶었다. 하지만 희언은 이에 신경 쓰지 않았다. 다른 수호자들도 희언의 마법을 지켜봤다.

"우리도 저런 도구를 쓰는 걸 보는 건 처음이잖아."
"그러게, 얼마나 잘하는지 볼까?"
수호자들의 말을 듣는 건지 마는 건지 희언은 침착하게 휴대전화를 내질렀다. 휴대전화에서 푸른색 빛이 살짝 돌았다. 희언은 한번 더 호흡을 가다듬고 팔을 뻗었다. 가늘고 긴 푸른색 기운이 날아가 바위에 닿았다.

"오, 됐다!"
공격이라기보다는 요술에 가까웠지만 희언은 기분이 좋았다.

"허허, 제법인데."

희생의 수호자는 예상치 못한 결과를 본 듯 콧방귀 섞인 칭찬을 했다. 화합의 수호자는 희언의 능력을 시험이라도 하듯 희언 바로 옆에서 희언을 지켜봤다. 화합의 수호자의 가슴에 새겨진 금빛 9 무늬가 가로등을 찬란하게 반사하고 있었다. 희언은 연습을 멈추고 화합의 수호자에게 말을 걸었다.

"골든나인."
"골든나인?"
"네. 골든나인! 가슴에 써진 글자!"
희언은 이해하지 못하는 화합의 수호자를 의아해했다.

"아!"
희언은 뭔가 생각이 났는지 수호자들을 불러 모았다.

"자, 이제 제가 이름을 지어 드릴게요! 무슨 수호자니 뭐니 하나도 기억 안 나."
수호자들은 뭐가 어떻게 돌아가는지 모르는 눈치였지만 우선 희언의 말을 들어보기로 했다.

"우선 골든나인 하나 나왔고."
희언은 팔짱을 낀 채 트렌치코트를 날리는 희생의 수호자를 바라보았다. 희언의 오른쪽 발은 쉴 새 없이 땅을 두드렸다.

"저번에 기념관에서 했던 거, 손에서 나오는 거 보여주세요."
"왜?"
"보여주기 싫으면 말고요."
희생의 수호자는 탐탁지 않은 표정을 하며 손에서 붉게 타오르는 정육면체를 생성했다.

"음…불타는 정육면체라…"
희언은 한참을 생각했다.

"버닝 큐브! 자, 이제 두 명 해결했고."
희언은 몸을 돌려 결단의 수호자를 바라보았다.

"저번에 무안견들의 가슴만 겨냥해서 쏘는 걸 봤는데…음, 그러면…하트슈터. 그래, 하트슈터."
희언은 결단의 수호자에게 하트슈터라는 이름을 선사했다.

"퓨리어스."
희언은 용기의 수호자를 보고 망설임 없이 말했다.

"퓨리어스. 딱 이네요, 퓨리어스."

"퓨리어스?"
이제 용기의 수호자는 퓨리어스다.

"자, 가만 보자…"
희언은 뭔가 찾을 게 있는지 휴대전화를 이용해 검색했다.

"숨기다, Hide! Conceal, Cover는 아니고. 유의어는…"
수호자들은 은근히 기대에 찬 눈으로 희언을 기다렸다. 희언
은 검색을 멈추지 않았다.

"Veil! 숨기다, 가려서 숨기다. 그래, 베일! 이제 수호자님 이름
은 베일입니다."
신념의 수호자는 베일이라는 이름을 받았다. 혼자만 두 글자
이름이라 그런지 베일은 자신의 이름이 마음에 드는 눈치다.

"근데 왜 다 영어 이름이지?"
하트슈터가 희언에게 물었다. 그들로서는 합리적인 질문이다.

"어벤져스도 안 봤어요?"
희언은 퉁명스럽게 대답했다. 어벤져스를 알리도, 또 봤을리
도 없는 수호자들. 희언도 어벤져스를 모르는 수호자임을 알
고 있었지만, 그 한마디로 수호자들의 질문에 잘라 답했다. 희

언의 당당함에 기세가 눌렸는지, 아니면 어벤져스를 아는 척하고 싶었는지, 수호자들도 더는 희언에게 묻지 않았다. 수호자들도 짧고 부르기 쉬운 새로운 이름이 그럭저럭 마음에 들었는지 서로를 새로운 이름으로 부르고 고개를 끄덕였다.

아무튼 휴대전화의 새로운 마법에 놀란 희언이지만, 무엇보다도 휴대전화는 이제 위대한 보물을 찾기 위한 소중한 도구가되었다. 수호자들의 말에 따르면 보물 근처에서 휴대전화는 신호를 보낼 뿐만 아니라 위대한 보물을 찾으면 혼을 모아서 보물을 불러낸다고 한다.
나 원 참, 별 희한한 이야기다.

7

다음 날 오후. 이제 희언의 하굣길에는 윤서가 함께한다.

"야, 너는 보물 그러면 어디가 생각나? 그 유물, 유적 이런 보
물 있잖아."
"유, 유물, 유적? 그럼 바, 박물관. 박물관이 제, 제일 먼저 생각
나는데?"
"아 그래? 근처에 박물관이 있으려나?"
"여, 여기는 처, 천안 박물관이 유, 유명하지! 버스 타면 그, 금
방 가."
옳다구나! 희언은 뭐가 그리 급한지 윤서를 집까지 바래다주
고 곧장 박물관으로 향했다.

마감 시간이 얼마 남지 않은 박물관 안에서 희언은 분주했다.
희언은 문자로 수호자들에게 보물을 찾는 방법을 물으며 박물

관 안내 지도를 찾았다.

– 보물을 어떻게 찾아요?
– 휴대전화를 보물이 있을 만한 곳에 가져가면 휴대전화가 반응할 거예요.
– 그 다음에는요?
– 휴대전화가 보물을 끌어낼 겁니다.

자동으로 보물을 찾는다는 건가? 아무튼 희언은 두 팔을 걷었다.
"그럼 보물을 한번 찾아볼까?"

희언은 박물관 안내 지도를 보고 바로 3층으로 향했다. 뭐가 그리 신이 났는지 희언의 발걸음이 빨랐다.
이내 3층의 고고실에 들어선 희언. 여러 가지 유물들이 유리창 안에 전시되어 있다. 희언은 휴대전화를 들고 이리저리 돌아다니기 시작했다. 희언이 휴대전화를 전시대에 가까이 가져가자 휴대전화는 약한 푸른 기운을 내뿜었다.

"어머나?"
놀란 희언은 휴대전화를 다시 호주머니에 넣고 주변을 둘러봤다. 관람객이 없기도 했거니와, 다행히 그 누구도 희언의 수상한 행동을 눈치채지 못한 듯했다.

'뭐야 이거? 진짜 되잖아?'

희언은 손에 휴대전화를 쥔 채 교복 재킷을 벗어 휴대전화 위에 가볍게 올려놓았다. 이제 희언의 휴대전화의 신비한 움직임을 알아차릴 사람은 없을 것이다. 희언은 휴대전화를 옷 밑에 숨긴 채 박물관을 돌아다녔다. 고고실과 역사실, 천안삼거리실을 지났지만, 휴대전화는 약한 푸른 빛을 낼 뿐 보물은 찾지 못하는 것 같았다.

"천안 박물관의 운영 시간은 오후 5시까지입니다. 대단히 감사합니다."

안내 방송이 나왔다. 더는 박물관에 머무르는 건 무리라고 생각했는지 희언은 아쉬운 발걸음을 옮겼다. 희언은 2층까지 내려왔을 때 잠시 멈춰 섰다. 2층의 기획전시실 입구 앞에는 '3·1 운동과 충남의 독립운동가들'이라는 포스터가 붙어있다.

'충남의 독립운동가들?'

희언은 홀린 듯 안으로 들어갔다. 마감 시간이 얼마 남지 않은 평일이라 그런지 아무도 없는 전시실이었다. 희언은 휴대전화를 꼭꼭 숨긴 채 전시실을 둘러봤다.

기획전시실에는 제목대로 충남 지역의 독립운동가들의 업적과 생애들이 전시되어 있었다. 유관순, 윤봉길, 한용운을 필두로 충남인들의 활약이 전시된 전시관. 희언은 휴대전화가 잘 숨겨졌는지 한번 더 확인하고 전시관 깊숙이 이동했다. 희언이 전시관 중앙으로 들어서니 전보다 훨씬 더 격렬하게 반응하는 휴대전화. 희언의 심장도 같이 반응하는 듯했다.

"천안 박물관을 찾아 주신 손님 여러분, 대단히 감사합니다. 안녕히 가십시오".

박물관의 폐장 안내 방송이 나왔다. 하지만 희언은 멈출 수 없었다. 보물을 찾을지도 모르는 절호의 기회였다. 희언은 주변을 바쁘게 살폈다. 얼마나 시간이 흘렀을까? 경비원이 남은 관람객들이 있는지 전시실을 훑어봤다. 아무도 없는 전시실. 경비원은 전시실을 한번 더 꼼꼼히 살핀 후 출구로 나갔다. 희언은 밀랍으로 만든 유관순 열사 모형 뒤에 숨어 경비원의 눈을 피했다.

"휴우."
희언은 가슴을 쓸어 내렸다.

경비원이 지나간 후 전시실에는 조명이 꺼지고, 비상구와 소화전의 위치만 알려주는 불빛만이 남았다. 희언은 슬그머니 교복 안에서 휴대전화를 꺼냈다. 아무도 없는 전시실 안에서 희언은 휴대전화를 높이 들었다. 보물의 기운을 찾았는지 휴대전화는 푸른 기운을 뿜으며 요동쳤다.

"보, 보물이다."

희언은 기대를 잔뜩 한 채 손에 있는 휴대전화를 최대한 높이 들었다. 까치발까지 잔뜩 세운 희언. 휴대전화는 푸른 기운을 강렬하게 뿜기 시작했다. 희언은 놀라서 입을 다물지 못했다. 어느새 전시실은 푸른빛으로 가득 찼다. 눈을 뜰 수 없을 만큼 강한 빛. 희언은 빛을 쳐다보지 못하고 고개를 돌렸다. 하지만 강렬한 빛을 뿜던 휴대전화는 서서히 빛을 잃어갔다. 그리고 전시실은 비상구와 소화전의 불빛만이 아스라이 어둠을 밝히고 있었다.

"학생! 여기서 뭐 해요?"

아차! 인기척에 경비원이 전시실로 다시 들어왔나 보다. 경비원은 손전등으로 희언을 비추며 말했다. 희언은 실눈을 만들며 손으로 눈 앞을 가렸다. 며칠 전 기념관의 일이 희언의 머릿속으로 겹쳐 지나갔다.

"아, 죄송합니다. 제가 휴대전화를 잃어버려서요. 아, 여기 있네요! 찾았어요."

희언은 연신 허리를 굽히며 경비원에게 인사를 한 뒤 도망치듯이 박물관을 나왔다. 박물관 밖에서 희언은 휴대전화를 보며 조금 전 있었던 신비한 일을 곱씹었다.

집으로 가는 오르막길은 몇 날 며칠이 지나도 힘들기는 마찬가지다. 그래도 가로등과 전봇대들이 제멋대로 얽히고설킨 희언의 동네는 나름대로 운치가 있다. 하지만 동네 건너편에 병풍처럼 높게 올라간 아파트의 불빛과 함께 보면 다소 처량한 느낌까지 들었다. 희언은 집으로 들어가기 전 기지개를 크게 한 번 폈다. 희언의 기지개와 함께 휴대전화가 부르르 떨며 울렸다. 메시지였다.

- 아우내 독립 만세운동 기념 공원으로, 지금 즉시.
- 왜요?
- 오니토가 나타났어! 놈이 보물의 기운까지 다 흡수해 버리기 전에 막아야 해!

"보물? 보물을 찾을 수 있다고? 지금?"
어찌할 줄을 몰라 발을 동동 구르다 고개를 두리번거리는 희언.
"에잇!"
희언은 뛰기 시작했다.

기념 공원에 도착해 희언이 처음 본 건 공중에 떠 있는 오니토였다. 기념 공원의 주변에 있는 혼을 모으는 오니토. 아참, 여기서 혼이란 역사의식과 역사에 관한 관심이 실체화된 것으로서 유적, 유물 혹은 역사적 가치가 있는 것에서 발견된다. 이

는 역사를 지키는 힘이지만, 반대로 흑사와 그의 부하들에게
는 역사를 바꿀 힘의 원천이 된다. 그러나 문제는 그게 아니었
다. 너무 열심히 뛰어온 희언은 심장이 터질 것 같았다. 희언
은 뛰는 심장과 바쁜 호흡을 주체하지 못하고 주변의 나무 기
둥에 숨어 숨을 몇 번이고 헐떡거렸다.

"씨…와아…진짜, 자전거 끌고 올 걸, 하아…"
허리를 폈다, 휘었다가 정신이 없는 희언. 나무 기둥에 기대 겨
우 정신을 차린 희언은 기둥 뒤에 숨어 오니토를 관찰했다. 기
념 공원의 조형물과 장식들로부터 푸른 빛을 내며 가늘게 빠져
나오는 혼들.

혼은 오니토의 몸으로 가까이 가자 붉은색으로 변했다. 그리
고 붉은 혼은 오니토 몸 속으로 서서히 빨려 들어갔다. 혼을 빨
아들이자 오니토의 크기는 조금씩 커지고 조각나 있던 갑옷도
점점 정상으로 돌아왔다. 그의 부서진 가면과 찢어진 망토도
제 모습을 찾았다. 오니토 주변에는 기념관에서 봤던 무안견들
이 오니토를 보호하듯 둘러싸고 있었다. 게다가 혼을 빨아들이
면 들일 수록 공중의 붉은 균열들은 선명하고 커졌다. 그리고
그 균열 사이에서 무안견들이 속속들이 나오기 시작했다. 희언
은 이를 보고 수호자들에게 문자 메시지를 보냈다.
-어디 있어요?

문자를 보낸 희언은 상황을 살피기 위해 고개를 내밀었다. 고개를 내밀었을 때 이미 두 마리의 무안견이 희언 가까이에서 이빨을 보이며 침을 흘리고 있었다.

"아 진짜, 왜 안나와요오~!"
이 말이 신호였는지, 희언을 향해 달려드는 한 마리의 무안견. 하지만 무안견은 이내 퓨리어스의 손 안에서 목이 잡힌 채 발버둥치고 있었다. 나머지 한 마리는 하트슈터가 충격파로 쓰러뜨렸다. 수호자의 등장을 눈치챈 오니토. 오니토는 무안견들에게 명령하여 영웅들을 공격하게 했다.

수십 마리의 무안견들과 싸우는 수호자들. 아무리 무안견들이 많다고는 하지만 수호자들의 상대는 되지 않는 듯 했다. 수호자들은 각자의 능력을 살려 무안견들을 쓰러뜨리기 시작했다. 시원시원하게 무안견들을 붉은 가루로 만들어 버리는 수호자들.

"에잇, 모르겠다!"
희언도 수호자들의 기세에 동참해 연습한 대로 휴대전화를 앞으로 내질렀다.

파직!
역시나, 휴대전화에서 푸른 혼이 발사되었다. 그러나 흉하게 빗나가는 혼. 이 빗나간 혼은 오히려 수호자들에게 집중하고 있던 무안견들을 도발한 꼴이 되었다. 희언을 향해 달려드는 무안견들.

"안돼! 오지 마!"
희언은 도망치면서 혼을 쏘아보지만, 번번이 빗나갈 뿐이다. 난리통 속에서 정신이 없던 희언은 어쩌다 무안견 한 마리를 맞췄다. 희언이 놀라움과 기쁨에 잠시 발을 굴리며 좋아했지만, 공교롭게도 희언이 맞춘 녀석은 지금까지 본 무안견들 중에 유난히 거대한 녀석이었다. 아마도 이들의 대장 격이 아닌가 싶었는데, 어깨의 높이가 희언의 키를 넘어서는 무지막지한 녀석이었다.

"으아아악!"
녀석이 희언을 향해 몸을 돌리자 희언은 혼을 쏠 겨를도 없이 도망쳤다. 녀석이 입을 벌려 희언을 덮치려는 찰나, 퓨리어스가 녀석의 벌어진 아가리를 잡고서 희언의 앞을 막아 섰다. 둘은 몇 번 크게 힘 싸움을 했다. 하지만, 놈은 퓨리어스의 강력한 완력에 나가떨어졌다. 퓨리어스가 마지막 일격을 가하자 쓰러진 녀석은 한 줌의 붉은색 가루가 되어 공중으로 흩어졌다.
"퓨리어스, 퓨리어스."
숨을 가쁘게 내쉬는 와중에도 희언은 퓨리어스의 무용에 감탄

하면서 동시에 자신의 작명 실력에도 감탄했다.

어느 정도 무안견들이 정리가 되자 수호자들은 오니토를 겨냥했다. 오니토는 힘을 모아 강력한 붉은 기운을 뿜어냈다. 이 기운에 수호자들과 희언은 움찔하며 뒤로 물러날 수밖에 없었다.

"네놈들이 소유하기엔 너무 과분한 미래다."
오니토는 이 수수께끼 같은 말을 남기고 수호자들이 손을 쓰기도 전에 균열 속으로 사라졌다.

"우리랑 싸울 생각이 없어."
하트슈터는 실망한 기색이었다. 베일이 말을 이었다.

"이 공원은 일종의 준비운동이야. 우리를 모두 직접 상대하기는 아직 이르니 조금이라도 혼을 더 모아 힘을 기를 생각인가 봐."
오니토가 휘젓고 간 아우내 기념 공원은 이상하게도 생기를 잃은 듯했다.

"말씀하신 보물은 어디에 있나요?"
희언은 휑한 주변을 두리번거리며 수호자들에게 물었다.
"보물이 있다는 게 아니라, 오니토가 여기에서 보물의 기운을 훔친다고!"

버닝큐브는 친절하게 말하려 애쓰는 듯했으나 목소리와 태도에서 불만이 느껴졌다.

"근데 여기에서 어떻게 보물의 기운을 훔쳐요? 아무것도 없는데?"
"하아…여기는 아우내 만세운동 때 수많은 사람이 피를 흘린 장소야. 그리고 일본의 헌병 주재소가 있던 자리라고."
버닝큐브가 희언이 한심한 듯 다그치며 말했다. 버닝큐브의 말에 희언은 주변을 둘러보았다. 이제야 희언은 기념 공원의 조형과 설명들이 눈에 들어왔다.

"아우내 만세운동…"
희언의 얼굴에서 웃음기가 사라졌다. 희언은 고개를 돌려 기념 공원을 훑었다. 그리고는 걷기 시작했다. 보물을 찾을 때와는 다르게 희언은 공원을 꼼꼼하고 자세히 들여다보았다. 다시 돌아온 공원 조형물 앞에서 희언은 한동안 움직이지 않았다.

"여기가 어떤 곳인지 알았으니 여기서 한번 보물을 찾아보는 게 어때요?"
골든나인이 희언에게 보물을 찾아보라 권했다. 수호자들의 허락을 받은 희언은 안색이 갑자기 밝아졌다. 발걸음도 한결 가벼운 것 같은 희언. 희언은 휴대전화를 들고 공원 이곳저곳을 돌아다녔다. 공원 가운데 있는 조형물에 휴대전화를 가까이 대자 휴대전화는 윙윙거리며 희미하게 푸른 빛을 뿜어냈다. 그러나 이내 소리와 푸른 빛이 사라졌다.

"여기가 아닌가봐."
버닝큐브가 예상이나 한 듯 덤덤하게 말했다. 이후 희언은 기념 공원 구석구석을 다니며 보물을 찾았다. 하지만 그 어떤 것도 위대한 보물을 불러내지 못했다.

"그러니까 반드시 보물이 있는 곳에서 보물을 찾는 게 아니네요. 반드시 박물관일 필요는 없다 이거죠?"
"그렇지, 보물은 어디에나 있을 수 있으니까."
보물이 어디에나 있을 수 있다니, 그럼 찾아야 할 범위가 너무 넓어지는 것 아닌가? 아니, 그리고 보물이라는 게 어찌 아무데서나 찾을 수 있는지 희언은 이해가 되지 않았다. 미간이 살짝 좁혀지는 희언.

"보물을 찾으면 어떻게 돼요?"
"푸른 기운에서 보물이 나올 거야."
"수호자님들은 보물의 기운은 느끼지만, 정확히 어디 있는지 모르는 거네요?"
"우리는 보물을 느끼지 못해요. 단지 역사적인 장소만 알고 있는 거죠."
베일이 대답했다.

"그럼 오니토가 현실 세계로 나오는 건 어떻게 알아요?"
"영혼 세계의 균열이 일어난 곳을 따라오는 거죠."
"아하."
희언은 고개를 끄덕였다. 희언은 다시 기념 공원을 돌아봤다. 처음과 다르게 거룩한 느낌마저 드는 기념 공원이었다.

희언의 학교, 아침 조회 시간. 꽤 생기가 있던 조회 시간이었다. 그런데 담임이 희언의 이름을 부르자 분위기는 급격히 가라앉았다.

"희언이는 나 따라오고."
모든 학생의 이목이 희언에게 집중되었다. 희언은 고개를 숙인 채 교실 문을 나섰다. 모든 아이들이 희언의 뒤에서 희언의 흉을 보는 것처럼 느껴졌다. 교무실에서도 분위기는 크게 다르지 않았다. 희언이 교무실로 들어서자 모든 선생들마저 희언을 바라보는 것 같았다. 희언은 담임을 따라 선생의 책상 근처에 섰다.
"자, 이거."
선생은 희언에게 종이 몇 장을 건넸다. 종이 첫 페이지에는 '태권도 품새 청소년(고등부) 국가대표 선발전'이라고 적혀있었다.

"이거 들고 가서 읽어봐. 관심 있으면 말해. 내가 신청하면 되니까."
"네."
"아, 그리고 독립기념관에서 일 시작했지?"
"네."
"그래, 잘하고 있네. 그럼 가봐."
"네."
희언은 교실로 향하다 말고 뒤로 돌아섰다.

"감사합니다."
희언은 허리를 숙여 담임에게 진심으로 감사를 표했다.

시끄러운 희언의 반. 희언이 문을 열고 들어서자 교실이 삽시간에 차분해졌다. 희언은 고개를 숙인 채 자기 자리에 앉았다. 희언은 담임이 준 전달문을 보지도 않고 아무렇지 않게 접어 책상 서랍 밑에 놓았다. 희언은 손에 뭔가 묻지도 않았는데 손을 쓱쓱 교복에 닦았다.

근현대사 시간. 근현대사 선생은 언제나 질문이 많다.
"자, 아우내 기념 공원에 가본 사람?"

그러자 꽤 많은 학생이 손을 들었다.

"아니, 지나간 거 말고! 진짜로 들어가서 뭐가 뭔지 본 사람?"
두 명만이 손을 들었다. 희언은 아직도 손을 들지 않았다.

"자, 그럼 아우내 기념 공원이 뭐가 있던 자리인지 아는 사람?"
희언은 주변의 눈치를 봤다.

"아무도 없지?"
선생은 몸을 돌려 칠판에 분필을 가져갔다.

"헌병 주재소."
희언이 속삭이듯이 대답했다.

"누구야?"
선생은 몸을 돌려 대답한 사람을 찾았지만, 희언은 대답하지
않았다.

"누구야, 손들어봐."
심지어 희언의 짝도 희언의 눈치만 보며 대답하지 않았다.
"참…대답은 들렸는데 대답한 사람은 없고, 신기하구먼. 아무
튼 잘했다. 맞아, 거기는 일본 헌병 주재소가 있던 자리다!"

희언은 눈치를 보며 수업을 계속 들었다. 이상하게도 희언은 전에 없게 수업에 집중하고 있었다.

8

아르바이트가 있는 바쁜 주말 오전. 희언은 약국에서 나와 약국 밖에 잠가 놓은 자전거 자물쇠를 풀었다. 페인트가 다 벗겨진 낡고 오래된 자전거였다. 자전거를 끌고 보도로 나오자 희언의 눈에 띈 여학생과 이를 따라다니는 두 남자.

"저, 기운이 참 맑으세요. 잠시 이야기 좀 들어보세요."
이런, '도를 아십니까?' 사람들이다.

"학생, 이야기 좀 들어보라니까."
여자는 이를 피한다. 희언은 자전거 자물쇠를 풀다 말고 이를 지켜본다. 남자들은 끈질기게 여자에게 달라붙고 여자는 이를 쉬이 떨쳐내지 못한다.

'뭐야? 진주잖아?'

공교롭게도 '도를 아십니까' 때문에 곤란에 빠진 여자는 같은 반 학생 진주였다. 두 사람 중 하나가 진주의 손목을 잡았다.

"아, 괜찮아요. 이야기만 들어보세요."
진주는 놀라 남자의 손을 뿌리치려고 했지만 쉽지 않아 보였다. 남자는 계속 괜찮다고 이야기만 들어보라고 한다.

"지금 뭐 하는 거예요?"
남자의 손이 진주의 손목에서 세차게 떨어진다.
희언의 자전거와 헬멧은 바닥에 널브러져 있고, 남자와 진주 사이에서 희언은 성난 얼굴로 남자를 노려보고 있다. 주먹을 꽉 쥔 희언의 손에는 할머니의 약봉지가 대롱대롱 매달려 있다.

"미쳤나 봐, 이 사람들이!"
"아니, 그게 아니라…"
"그게 아니긴 뭐가 아니야, 경찰 부르기 전에 당장 저리 가요, 아이 씨!"
'도를 아십니까' 일당은 그래도 꼴에 남자라고 그 자리에서 버텨 보려는지 움직이지 않았다.

"뭐야, 안가?"
희언은 호주머니에 손을 넣어 전화기를 꺼냈다. 희언은 거침없

이 전화 버튼을 누르기 시작했다. 그제야 '도를 아십니까'일당
은 희언의 기세에 눌려 자리를 피했다.

희언은 놀라 숨을 헐떡이는 진주를 한번 훑어봤다. 희언은 진
주에게 다친 곳이 없는지 확인했다.

"괜찮아?"

진주는 아무 말 없이 고개를 끄덕였다. 이를 확인한 희언은 진
주의 표정을 한번 더 확인하고서야 돌아섰다. 희언은 가볍게
자전거를 일으키고 다시 한번 진주를 확인했다. 그리고는 약봉
지를 자전거 한쪽 손잡이에 걸친 후 자전거를 이리저리 살폈
다. 자전거에 이상이 없는지 희언은 헬멧을 쓰고 자전거를 끌
기 시작했다.

"저기!"

진주는 뭔가 할 말이 있는지 희언을 향해 입을 열었지만, 다음
에 할 말이 나오지 않았다. 희언은 진주의 소리를 못 들었는
지, 아님 못 들은 척하는 건지 진주와 점점 멀어졌다. 진주는
이런 희언을 한참이나 쳐다봤다.

얼굴이 뾰로통한 희언.

게다가, 생각해 보니 희언의 집은 오르막길에도 한참 오르막길
에 있었다. 자전거를 가지고 나온 걸 후회하려는 순간, 문자 메

시지가 왔다.

-희언아 선생님께 너 전화번호 물어 봤어. 오늘 진짜 고마워. 내가 담에 떡볶이 쏠게.

 희언은 문자 메시지를 확인한 후 휴대전화를 후드티 주머니에 넣었다. 희언은 아무도 모를 만큼 작게 웃었다.

"아유, 이걸 버릴 수도 없고, 씨, 올라 가야지."
한 차례 자전거에 핀잔을 준 뒤 오르막을 올라가는 희언. 희언의 발걸음은 평소보다 가볍고 빨랐다.

유난히 한가한 일요일 오후의 독립기념관. 희언은 저번에 아이의 엄마가 곱씹어 만지던 흉상을 보았다. 선반 위에서 옹기종기 모여 함께 '대한독립만세'를 부르는 것 같은 흉상들. 수십 개가 되는 흉상이지만 얼마나 오랫동안 사람이 찾지 않았는지 먼지가 곱게 쌓여있었다. 희언은 계산대로 가 물티슈를 꺼내 흉상을 닦기 시작했다. 하나하나 다 닦고 보니 반짝반짝 예쁘기도 한 흉상들.

"아, 예쁘다!"
다시 보니 흉상이 웃고 있는지 희언도 앞에서 '흐흐'하고 웃었다. 희언은 물티슈 통을 통째로 들고 이리저리 다니기 시작했다. 겨레의 탑과 불굴의 한국인 상, 안중근 의사와 윤봉길 의사의 조형까지 돌아다니면서 꼭꼭 닦는 희언. 이리저리 돌아다니다 희언은 거창하게 만들어진 인포그래픽 포스터 앞에서 멈춰섰다.

"아, 1919년 3월 1일이 그냥 만세운동한 날이 아니구나."
희언은 한동안 독립운동가들의 조형과 태극기, 그리고 기념품 앞에서 시간을 보냈다.

"저…이건 뭐에요?"
전보다 화사해진 가게 분위기에 어느새 안으로 들어온 손님. 손님은 희언에게 도움을 요청했다. 희언은 손님에게 총총거리며 달려갔다. 가게에 진열된 보드게임에 관심을 보이는 손님.

희언은 손님의 아들로 보이는 꼬마 손님의 눈높이에 맞추어 허리를 낮추고 게임을 설명했다. 주사위를 던지고 카드를 움직여 가며 보드게임을 설명하는 희언. 아이가 게임에 참여하자 주변에 있던 다른 손님들도 관심을 가지기 시작했다. 교복을 입고 아이와 게임을 하는 모습은 누가 봐도 믿음직스럽고 예쁘지 않은가! 어쩌다 보니 여러 손님 사이에서 아이와 게임을 하는 희언. 서로 주사위를 몇 번 던지고 손뼉을 치고 나서야 게임이 끝났다. 게임이 끝나고 나니 손님들이 하나같이 보드게임을 손에 들고 계산대 앞에 섰다. '도우미' 명찰을 단 교복 입은 학생보다 신뢰와 연민, 대견함과 기특함이 동시에 느껴지는 직원도 없을 것이다. 손님들은 홀린 듯 희언에게 도움을 청했고, 희언은 이에 응했다. 희언의 노력 덕분일까? 제법 많은 기념품이 팔렸다. 손님들이 다녀간 후 전보다는 휑해진 진열 선반.

"허."
인배가 헛웃음을 뱉었다. 정적을 깨는 소리에 희언의 시선이 인배로 향했다.

"희언아, 내가 온 이후로 최고 매출인데?"
인배가 계산대 앞에서 정산하며 희언에게 말했다. 인배는 입을 다물지 못했다.

"아, 정말요?"
희언은 기분이 좋았다. 미소를 한껏 머금은 채 가게를 정리하는 희언. 희언은 구석에 있던 흉상들을 앞으로 진열했다. 문득 다시 흉상을 만지던 아이의 엄마가 생각났는지 희언도 흉상의 옷고름을 만졌다. 만세를 외치고 있는 유관순 열사의 흉상. 희언도 한동안 열사의 흉상 앞에서 머물렀다.

희언이 일을 마치고 집으로 온 저녁. 희언은 집에 돌아와 저녁을 차렸다. 꽃무늬가 흐트러진 양은 밥상 위에는 별 볼 일 없는 짠지 몇 개와 김, 그리고 밥이 두 공기가 있다. 그래도 옆에 김이 모락모락 나는 된장국 때문에 밥상은 초라해 보이지 않았다. 애호박과 양파만 들어간 된장국이지만 그런대로 먹음직스러웠다.

"잘 먹겠습니다! 할머니 많이 먹어. 밥 많이 있으니까!"
희언은 밥을 앞에 두고도 밥술을 들지 않았다. 할머니가 아픈 이후에 할머니는 식사를 제대로 한 적이 없었다. 이에 걱정이 이만저만이 아닌 희언은 할머니가 수저를 들 때까지 기다렸다. 역시나 밥상 앞에서 뜸을 들이는 할머니.

"아참, 희언아. 학교에서 연락이 왔던데. 그 태권도 대회가 있다고."
"아 진짜, 태권도 안 한다니까 이제. 얼른 밥이나 먹어."
"그래, 그래."
그런데 웬일인지 할머니는 평소보다 밥을 꿀떡꿀떡 잘 삼키는 듯했다.

"할머니, 배 많이 고팠어?"
"아니야, 아니야. 오늘 네가 국을 잘 끓였네."

"그치?"

"응. 밥도 고슬고슬하고."

희언은 밥을 먹다 말고 할머니를 한동안 바라보았다. 수저를 놓는 법이 없는 할머니. 평소보다 밥을 잘 먹는 할머니를 보니 희언은 보기만 해도 배가 불렀다. 그래서 그런지 희언은 밥을 먹다 말고 수저를 든 채 할머니만 쳐다봤다.

"얼른 먹어. 일 갔다 와서 배고플 텐데."

희언은 할머니의 반찬이 부족할까 김을 한 봉지 더 꺼냈다. 할머니는 김을 밥에 싸 입에 쏙쏙 넣었다. 희언도 천천히 밥술을 떴다. 얼마 후 할머니의 밥공기와 국그릇이 텅텅 비어 버렸다. 할머니는 수저를 밥상 위에 놓았다. 할머니는 배가 제법 불렀는지 등을 벽에 기댔다.

밥상을 물리고 할머니께 물을 떠주는 희언. 희언의 물을 받은 할머니는 약을 두 번 나누어 먹었다. 전보다 양이 더 많아진 약은 할머니가 한꺼번에 삼키기 힘들어 보였다. 할머니가 약을 먹자 희언은 할머니가 좋아하는 일일 연속극을 틀었다. 희언은 할머니 옆에 꼭 붙어 연속극을 봤다. 할머니는 이내 졸린지 바닥에 누우려 했고 희언은 할머니를 위해 이부자리를 만들었다. 할머니가 액자를 만진 후 이불 속으로 들어가자 희언은 책상 앞에 앉았다. 위에서 보는 할머니의 등은 평소보다도 작아 보였다. 그래도 희언은 할머니의 등을 보고 웃었다. 밥이 든든히 채워진 뱃속을 생각하니 웃음이 절로 났다.

희언은 책상으로 몸을 돌려 한국사 책과 근현대사 책을 폈다. 모처럼 희언은 책상 앞에서 오랜 시간을 보냈다. 희언의 집중력이 떨어질 때쯤 희언은 할머니 머리맡에 놓인 약통들을 확인했다. 약통을 흔들어 보니 안에 약이 얼마 남지 않은 것 같았다. 희언은 그중 하나의 뚜껑을 열어 안을 확인했다. 약통 안에 알약은 셀 수 있을 만큼 적은 양이었다. 희언의 한숨이 약통을 지날 때 희언의 휴대전화가 울렸다.

-윤봉길 의사 기념관

"지금?"
-지금 당장

"뭐야 이거? 내 목소리가 들리는 거야? 문자로 할 필요 없는 거야? 그냥 말로 하면 되는 거야 뭐야?"
희언은 우는소리를 하며 작은 대문을 박차고 나갔다.

"아이, 진짜!"
희언은 다시 들어와 자전거를 챙겼다.

윤봉길 의사 기념관 앞. 희언은 자전거를 기념관 입구에 기대 세웠다. 헬멧을 벗어 자전거 손잡이에 거는 희언. 기념관은 이미 오니토와 무안견들에 의해 점령당한 것처럼 보였다.

"이렇게 자주 오니토가 설치는 걸 보니 확실히 놈의 힘이 전보다 세진 것 같군."
퓨리어스가 희언의 뒤에서 등장하며 말했다. 무안견들도 예전보다 눈에 띄게 많아졌다. 길 좌우로 늠름하게 게양된 태극기가 무심하게도, 무안견들은 보도 위에서 이리저리 뛰어다니고, 서로 물어뜯으며 난장판을 만들어 놓고 있었다.

"말 그대로 개판이네요."
"정리해 볼까?"
수호자들은 무안견들을 처리하기 시작했다. 희언도 호기롭게 앞장서 휴대전화의 마법으로 무안견을 공격했다. 그러나 안타깝게도 어찌 맞추는 횟수보다 빗나가는 횟수가 더 많은지. 이리 튀고 저리 튀는 푸른 기운. 그래도 희언은 멈추지 않고 무안견들을 공격했다. 수호자들은 기념관 앞을 지키는 무안견들에게 애를 먹었다. 무안견들이 너무 많아졌고, 덩치도 커진 것이다. 수호자들과 희언은 겨우 무안견을 처리하고 기념관 안으로 들어갔다. 기념관 안에서는 윤봉길 의사의 유물들로부터 혼을 빼앗고 있는 오니토. 놈의 근처에도 제법 많은 수의 무안견들이 어슬렁거리고 있었다.

"여기도 녀석들이 득실대는군."
퓨리어스는 다시 한번 겪을 소동에 손가락 마디마디를 풀었
다. 수호자들은 혼을 빼앗고 있는 오니토를 향해 달려들었지
만, 주변의 무안견들이 이들을 가로막았다. 그들은 마치 오니
토를 보호하려는 듯 끈질기게 수호자들을 물고 늘어졌다. 희언
도 휴대전화의 마법을 이용하여 수호자들을 도왔지만 그리 신
통치 못했다. 무안견들의 수는 좀처럼 줄어들지 않았다. 수호
자들의 방해를 피해 유물들의 혼을 마음껏 흡수하고 있는 오니
토. 혼란스러운 와중 희언은 유난히 푸른빛을 밝게 내뿜는 책
한 권을 발견했다. 이 책은 찬란한 빛을 뿜었지만, 오니토에게
혼을 빼앗기고 있었다.

"저 책은 뭐에요?"
"농민독본, 윤봉길 의사가 학생들 교제로 쓰기 위해 직접 쓰신
책이야!"
버닝큐브가 무안견을 처리하다 말고 희언의 물음에 답했다.

"그럼 이 개 같은 새끼들이 중요한 게 아니잖아요!"
희언은 상대하던 무안견을 놔두고 오니토를 향해 돌진했다. 희
언은 얼떨결에 오니토 근처까지 도달했다. 그리고 그녀의 사정

거리 안에서 휴대전화를 내밀었다. 한쪽 눈을 감고 휴대전화로 오니토를 조준하는 희언. 하지만, 휴대전화에서 나온 푸른 혼은 어여쁘게도 오니토를 비켜나갔다. 오니토는 이런 희언을 보며 한심한 듯 비웃었다. 가면 뒤에서 콧방귀 소리가 들리는 듯했다. 희언이 다시 휴대전화를 내밀려 하자 오니토는 붉은 기운을 뿜어 희언을 멀리 튕겨냈다. 희언은 몇 번을 굴러 나가 떨어졌다.

"아오…"
기념관 구석에서 희언이 옆구리를 부둥켜안고 끙끙 앓았다. 오니토는 희언의 방해에 그치지 않고 농민독본에서 혼을 계속 빼앗았다. 수호자들이 이를 막으려 달려들었지만, 너무 많은 무안견의 방해로 애를 먹었다. 농민독본은 공중에서 점점 생기를 잃어가고 있었다. 이 와중에 하트슈터만은 침착했다. 자신의 왼손을 들고 숨을 죽여 오니토의 심장을 노리는 하트슈터.

'코레아 우라.'
자기 귀에만 들릴 만한 작은 속삭임. 순간 푸른 혼이 빠르게 하트슈터의 몸을 감쌌다. 빠르게 발사되는 에너지 파동. 에너지 파동은 뒤엉킨 수호자들과 무안견들을 피해 지나갔다. 그리고 그 파동은 오니토의 왼쪽 가슴을 보기 좋게 때렸다.

"으…"

작게 터져 나오는 오니토의 신음 소리. 오니토는 순간 힘을 잃은 듯했다. 오니토가 힘을 잃자 무안견들도 순간 동작을 멈췄다. 퓨리어스가 이때를 놓치지 않고 순식간에 달려가 오니토의 얼굴을 향해 주먹을 내질렀다. 그러나 오니토는 그새 자세를 고쳐 잡고 퓨리어스의 주먹을 피했다.

"어디서 감히."

오니토는 한 손으로 퓨리어스의 목을 거칠게 잡아채었다.

"큭."

퓨리어스는 고통스러운 듯 기침을 토했다. 오니토는 자신의 손에서 꿈틀거리는 퓨리어스를 바닥으로 내려쳤다. 퓨리어스가 떨어지자 바닥에서 푸른색 혼이 번졌다. 퓨리어스는 순간 정신을 잃은 듯했다. 오니토는 한번 더 자세를 고쳐 잡고 한쪽 팔을 크게 뻗어 붉은 혼을 발산시켰다. 붉은 혼은 가시처럼 오니토의 손에서 뻗어져 나와 수호자들을 향했다. 희언에게 가까워지는 붉은 혼. 이에 베일은 에너지막을 만들어 재빨리 희언을 보호했다. 오니토의 공격에 크게 튕겨나간 수호자들. 수호자들이 정신을 차렸을 때는 오니토와 무안견들은 사라지고 없었다. 전시장에 남겨진 농민독본은 이미 혼을 다 잃은 듯 창백해져 있었다.

"이거 큰일인데? 놈이 더 세지기만 하고."
버닝큐브는 농민독본을 제자리로 놓으며 걱정을 했다. 농민독본은 유리를 미끄러지듯 통과하여 원래 자리로 돌아갔다.

"우리가 함께 싸운 지 너무 오래 됐어, 이제 한 몸으로 움직여야 해."
베일이 쓰러진 퓨리어스를 혼으로 치유하며 말했다.

"맞아 이렇게 따로 움직이다간 놈을 못 막을 지도 몰라."
정신을 차린 퓨리어스는 근심이 가득한 얼굴로 자신의 목을 만졌다. 골든나인은 침묵했다. 긍정과 동의의 침묵이었다.

"아오."
희언은 앓는 소리와 함께 수호자들 사이에 걸어와 섰다.

"또 모르죠. 여기에 위대한 보물이 있을지."
희언은 호주머니에서 휴대전화를 꺼냈다. 휴대전화를 든 채로 이리저리 돌아다니는 희언. 휴대전화의 푸른 기운은 '장부출가 생불환'이 적힌 의사의 유묵 앞에서 강렬하게 흔들렸다. 희언이 유묵 앞에 멈춰 섰다.

"이게 무슨 말이에요?"

"남자가 집을 나서면 뜻을 이루기 전까지 돌아오지 않는다! 의사께서 독립운동을 위해 중국으로 가기 전에 하신 말씀이지."
버닝큐브가 웬일인지 친절하면서도 자신있게 답했다. 잠시 후 휴대전화의 푸른 기운이 힘을 잃었다. 그래도 희언은 의사의 유묵 앞에서 한참을 서 있었다. 희언은 휴대전화를 호주머니에 넣었다.

"잠시만요."
수호자들에게 양해를 구한 희언은 왔던 길을 되돌아갔다. 수호자들은 의아해했지만, 희언을 따랐다. 기념관을 처음부터 관람하는 희언. 의사의 연보와 농민독본을 지나 방금 봤던 유묵을 따라갔다. 희언은 천천히 의사의 생을 곱씹는 듯했다. 홍커우 광장의 의거를 표현한 조형을 지난 희언은 한곳에서 오래 머물렀다. 의사가 처형되는 순간과 의사의 유해가 담긴 사진들. 그리고 의사가 사형된 사형 틀 앞에서 희언은 오래 멈춰 있었다. 희언은 눈에는 어느새 눈물이 맺혀 있었다.

"왜 그랬을까요? 어떻게 보이지도 않는걸, 느낄 수도 없는 걸 지키기 위해 자신을 희생할 수 있죠?"
희언의 눈에서 눈물 한 방울이 뺨을 타고 내려왔다.

"어떻게 자신의 목숨을 바쳐 가며…"

목이 멘 희언은 한참을 의사의 사진 앞에서 서 있었다. 이를 바라보는 수호자들은 말이 없었다. 희언은 손으로 연신 눈물을 찍었다.

"역시 보물을 찾아야겠어요!"
울 만큼 울었는지 희언은 단호하게 말했다. 희언은 다시 휴대전화를 호주머니에서 꺼내 들었다. 휴대전화를 자신 있게 들고 다른 유물들로 다가가는 희언. 희언의 모습은 전에 없이 적극적으로 보였다. 휴대전화가 윤봉길 의사의 물통 폭탄과 도시락 폭탄에 가까워지자 푸른 기운을 세차게 내 뿜으며 요동쳤다.

"이건가?"
버닝큐브의 기대에 찬 목소리가 무심하게도, 춤추던 푸른 기운은 이내 사그라들며 휴대폰 속으로 사라졌다.

"여기도 아니야."
희언이 나직하게 말했다.

9

어젯밤 오니토의 공격 때문에 문제가 생겼는지 희언은 교실 안에서 연신 팔을 휘두르며 어깨를 만지작거렸다. 희언이 혀를 차며 어깨를 조물딱거리고 있을 때 희언의 담임이 들어와 조회를 시작했다.

"자, 요즘 '도를 아십니까'나 사이비 종교 사람들이 여고생들한테 해코지하는 어! 그런 불미스러운 일이 많아요!"
담임은 다소 흥분한 모습이다.

"그러니 너희들도 조심하고. 얼마 전에 진주가 '도를 아십니까' 한테 끌려갈 뻔했는데 희언이가 구해줬다더라."
교실의 모든 아이가 희언을 쳐다봤다. 희언은 부끄러운 듯 어깨를 만지는 걸 멈추고 고개를 숙여 책상을 쳐다봤다.

"보니까, 저 몇 반인지 모르겠는데, 박윤서인가? 최윤서인가?"
"3반에 배윤서요!"
"그래 3반에 윤서가 불량배들한테 돈 뺏기는 것도 희언이가 구해줬다 하고. 다들 희언이 전화번호라도 알아 놔라. 무슨 일이 일어날 줄 누가 알겠냐, 응?"
희언은 구석에서 고개를 숙인 채 얼굴을 붉혔다.

"자, 농담이고. 그런 위험한 일이 있으면 주변 사람한테 꼭 도와 달라고 요청해라. 우선은 알아야 도와줄 거 아니냐! 나한테 연락하거나. 여기요! 도와주세요! 하면 돼. 알겠지?"
담임은 말을 이었다.

오늘도 생활 한복을 입은 근현대사 선생.
"자, '장부출가생불환' 누가 말한 거야?"
'장부출가생불환'이 한문으로 적힌 칠판 앞에서 근현대사 선생이 학생들에게 물었다. 학생들은 대답이 없었다.

"찍어봐."
"이순신 장군이요!"
"지언아! 근현대사 시간에 왜 이순신 장군님 이름이 나오냐!"
지언은 자기도 우스운지 몸을 배배 꼬며 큭큭거렸다. 이후에도 답은 한동안 나오지 않았다.

"윤봉길 의사."
침묵 속에서 누군가 속삭이듯 대답했다.

"어, 그래 맞다. 누가 대답했어?"
그 누구도 손을 들지 않았다.

"희언이요!"
진주가 희언을 가리키며 호들갑을 떨었다.

"그래, 무슨 뜻이지?"
"남자가 집을 나서면 뭔가를 이루기 전까지 돌아오지 않는다."
조금 뜸을 들였지만, 속삭이듯 작게 대답하는 희언.

"그렇지! 사내대장부가 집을 나서면 뜻을 이루기 전까지 돌아
오지 않는다! 바로 의사께서 독립운동을 위해 중국으로 가기
전에 하신 말씀이다."
선생은 칠판에 적힌 '장부출가생불환' 밑에 '윤봉길 의사'라고
적었다.

"자, 그럼, 윤봉길 의사님이 뭐 하신 분이야?"
"도시락 폭탄요!"
"지언아~! 너 초등학생이냐! 그렇게밖에 대답 못 하게?"

선생이 발을 동동 구르며 또 지언이를 나무랐다.

"1932년, 중국 상하이 홍커우 공원에서 일제의 승전 기념식 날 폭탄 의거를 하셨어요!"
누군가가 대답했다.

"그래, 저렇게 나와야 이제 고등학생의 대답이지!"
선생은 '상하이 홍커우 1932년 폭탄 의거'라고 칠판에 적었다.

"자, 의사님은 학생들을 위해서 책도 지으셨다. 무슨 책인지 아는 사람?"
교실은 적막에 휩싸인 듯 고요했다.

"아는 사람 없지?"
선생은 혼자 신이 난듯 뒤돌아 칠판에 분필을 뻗었다.

"농민독본."
희언이 중얼거렸다.

"응?"
"농민독본요."
"허…그래, 그래!"

선생은 놀란 듯 잠시 움찔한 후 '농민독본'을 마저 칠판에 적었다.

"우와~."
학생들의 감탄 소리가 교실을 채웠다. 희언은 다른 친구들의 눈치를 보며 머쓱하게 웃었다. 진주가 희언을 향해 눈과 입을 동그랗게 만든 채로 엄지를 치켜세웠다.

학생들이 운동장에서 시끄럽다. 희언의 반과 체육 시간이 겹치는 다른 반과의 축구 시합이 한창이기 때문이다. 그러나 운동장 근처의 돌계단, 희언은 나무 그늘에서 같은 반 친구들이 하는 경기를 보고만 있다. 하릴없이 휴대전화만 만지작거리는 희언. 그 순간,

"악!"
하는 외마디 소리가 희언의 시선을 빼앗았다. 넘어져 있는 한 학생. 곧 학생들 몇몇이 넘어진 학생을 둘러싸고, 얼마 지나지 않아 넘어진 학생은 일어나 운동장 가장자리에 있는 의자에 앉았다. 그리고 희언의 반 학생들은 모여 뭔가를 의논하는듯 했다. 그러더니 그 중에 끼어 있던 진주가 크게 동작을 취하면서 다른 학생들을 설득하는 것처럼 보였다.

그리고 진주는 무리에서 나와 희언이 앉아 있는 계단으로 오

기 시작했다. 진주는 가볍게 달려오며 앉아 있는 희언을 봤다. 진주의 눈이 희언에게 마주치자 희언은 필사적으로 진주의 눈을 피했다. 그러나 진주 또한 필사적으로 희언의 눈을 바라보며 희언에게 다가갔다. 희언과 진주가 함께 마주 보고 선 어색한 그림. 이 그림에서 먼저 움직인 것은 진주였다.

"희언아 같이 할래?"
"응?"
희언은 여기까지 용기 내 와준 진주를 거절할 수 없었다.
희언은 못 이기는 척 번호표를 체육복 위에 입었다. 그리고 천천히 운동장에 발을 디뎠다. 다행히 실내 수업과는 다르게 그 누구도 희언의 참여에 크게 신경 쓰지 않는 듯했다.

"너도 봤겠지만, 지난번도 지지난번도 한 골도 못 넣고 졌어."
그 말을 하는 진주의 얼굴이 유난히 퀭해 보였다. 그리고 다시 공을 쫓아가는 진주. 진주는 손뼉을 치며 반 학생들의 기운을 북돋웠다. 희언과 함께하는 축구 경기. 운동장으로 나온 희언이지만, 희언은 크게 뛰지도 심지어는 걷지도 않았다. 그저 제자리에서 몸을 돌려가며 공만 쳐다볼 뿐. 희언은 여기서도 다른 세상의 사람처럼 소외돼 보였다.

그러나 저마다 분주한 학생들. 이리 뛰고, 저리 뛰고 정신 없는 와중에 이런! 우연의 일치인지 모르겠지만 희언의 앞에 공이 굴러왔다. 이를 보고 달려드는 다른 반의 학생들. 급식실에서는 피하기만 하더니 운동장에서는 아주 다른 사람들이 되나 보다. 굴러온 공을 앞에 둔 희언은 순간 멈칫했다. 그러나 진주의 '너도 봤겠지만, 지난번도 지지난번도 한 골도 못 넣고 졌어.' 라는 한마디가 떠올랐는지 희언은 공을 잡았다.

움직이기 시작하는 희언. 175cm가 넘는 키, 6살 때부터 10년 가까이 한 태권도, 청소년 국가대표 경력, 그뿐만 아니라 운동 자체가 취미인 희언이었다. 애초에 타고난 재능과 운동신경과 경력 모두 탈 여고생 급인 희언이다. 하루에 일고 여덟 시간 이상을 책상 앞에서 보낸 일반 학생들이 감당할 수 있는 수준의 신체 능력이 아니었다.

이내 빠르게 뛰기 시작하는 희언. 공은 희언의 발에서 떨어지는 법이 없었다. 희언은 어느새 중앙선을 넘어 달리고 있다. 순식간에 세 명의 수비수를 제치고 골키퍼와 마주하는 희언. 희언은 마치 축구를 해본 듯 자연스럽게 움직였다. 공 왼쪽에 완벽하게 놓이는 희언의 왼쪽 디딤발. 희언은 가볍게 오른발 안쪽을 이용해 공을 때렸다. 빠르게 휘어져 날아가는 공, 그리고 보기 좋게 출렁이는 골네트. 순간 운동장의 모든 학생이 고요해졌다. 게다가 아무도 움직이지 않는 듯했다. 아차! 내가 너무 오버 했나? 아니면 패스를 해야 했나? 혹은 누가 나 때문에 다쳤나? 예상되는 모든 최악의 시나리오들이 희언의 머릿속을 휘저었다. 희언은 자신이 또 한번 큰 실수를 했나 싶어 고개를 떨어 떨구려는 찰나,

"희언아! 완전 대박이야!"
진주가 달려와서 희언을 얼싸안았다. 이어 같은 반 학생들도 모두 달려와 희언을 부둥켜안고 폴짝폴짝 뛰었다. 희언을 중심으로 강강술래를 도는 학생들. 그렇게 수업 시간에 밝기만 하던 지언이는 뒤에서 흘러내리는 눈물을 체육복으로 찍었다. 그날 희언은 투입된 지 13분 만에 4골을 만드는 기염을 토했다. 이에 다른 반 학생들이 희언의 의자 밑에 소금을 뿌려야 된다며 귀여운 불평을 했다. 그날 쉬는 시간에 희언의 책상은 이온음료와 에너지바로 가득했다.

윤서의 아파트 상가의 작은 분식점. 오늘도 역시나 저녁은 떡볶이다. 저번과 다르게 하나 있다면, 떡볶이 옆에서 두어 병의 이온음료가 서 있다는 것.
"오, 오늘 우리 담임 샘이 조회 때 너, 너 이야기 하더라."
"무슨 이야기?"
"어? 도, 도를 아십니까랑 지, 진주 이야기."
"아휴, 그게 뭐 별거라고."

둘은 마주 앉아 수다를 떨었다. 영락없는 여고생 절친의 모습이다.

"아, 맞다. 이거 봐봐."
희언은 휴대전화의 화면을 켜 윤서에게 보여줬다. 오래된 액정에 'XX뮤직 2nd 전국투어 오디션'이라는 포스터 이미지가 윤서를 반겼다.

"이, 이게 뭐야?"
"여기 나가 보라고!"
"에, 에이. 내, 내가 어떻게 여, 여길 나가?"
윤서는 놀랐는지 감탄사까지 더듬으며 말했다.

"야! 네가 나가야지 그럼 누가 나가냐! 너 정도면 무조건 1등이야!"
"아, 아니야."
"아니긴 또 뭐가 아니야. 너 꼭 나가는 거다?"
"어? 응."
억지로 대답을 한 윤서. 윤서는 희언 앞에서 오늘따라 더 눈치를 본다. 무슨 할 말이 있는지 안절부절못하는 윤서. 윤서는 입을 때려다가 말기를 몇 번이고 반복한 뒤 겨우 희언에게 말을 건다.

"희, 희언아 근데 너 교, 교도소는 어떻게 간 거야?"

"너는 이야기 못 들었어?"

"그, 그냥 친구들이 너 사람을 때렸다고 해서."

"맞아."

"사람을 괴롭히거나 하, 할 사람이 아닌 것 같은데."

"그게…그냥 그렇게 됐어."

떡볶이를 어묵과 겹쳐 입에 넣는 희언.

"애들이 너 태, 태권도도 했다고 하던데. 어, 엄청나게 잘했다고."

희언은 순간 멈칫했지만 이내 떡볶이로 다시 젓가락을 가져갔다. 희언은 떡볶이를 씹으며 대답했다.

"응, 오래 했었지."

"왜 그, 그만 뒀어?"

"나 대회 있는 날 엄마 아빠가 대회 보러 오다 교통사고로 돌아가셨어."

희언은 별거 아닌 듯 다시 젓가락을 들어 떡볶이 그릇에서 어묵을 찾았다. 한참 말이 없던 윤서는 희언에게 다시 물었다.

"그, 근데 그때 안 무서웠어?

"언제?"

희언은 여전히 어묵을 골라내며 대답했다.

"그, 고, 골동품 가게 옆에서."

"뭐 별로? 왜?"

"넌 엄청 요, 용감한 것 같아."

"그게 무슨 용감한 거냐? 대책이 없는 거지. 진짜 용감했으면 사람을 불렀겠지, 어른들을."

"그, 그래도 나는 네가 그렇게 할 수 있는 게 부, 부러워."

"무슨 소리야! 방금 말했잖아 대책 없는 거라고. 절대 그러지 마."

"아, 아니, 남을 위해서 뭐, 뭔가를 하려고 했잖아. 자, 자신이 다칠 수도 있는데, 그리고 바, 반드시 네가 나설 필요도 없는데. 지, 진주한테도 그렇고. 그, 그건 진짜 대단한 거야."

"대단하긴…무슨."

"모, 모든 대단한 사람들이 처음은 그렇게 시, 시작했을 거야. 나, 남을 위해서 용기를 내면서 말이야. 자, 자신을 희생하면서. 그, 그러다 언젠가 위, 위대해지는 거지."

희언은 한동안 말이 없었다. 하지만 뭐가 그렇게 신났는지 목소리를 높여 윤서에게 답했다.

"야! 그럼 지금 잘나가는 가수들 봐봐! 다들 연습생으로 시작하고 오디션 보러 다니면서 시작했잖아! 그러다가 대박이 나는 거지!"

"마, 맞아."

"야! 아무튼, 너 오디션 나갈 거지?"

"자, 잘 모르겠어."

"모르긴 뭘 몰라! 무조건 나가야지!"

희언은 튀김을 떡볶이 국물에 말다 말고 윤서를 똑바로 바라봤다.

"야! 너 그 내가 보여준 오디션 꼭 나가기로 약속."

희언은 새끼손가락을 세워 윤서 앞으로 내밀었다.

"어, 어."

윤서는 살며시 희언에게 새끼손가락을 걸었다.

"야, 너 나중에 남자 아이돌이랑 연애하는 거 아니야? 야, 그럼 나도 나중에 소개해 줘야 하는 거 알지?"

"너 하는 거 바, 봐서."

둘은 벌써 윤서가 유명한 가수라도 된 듯 설레발을 쳤다.

윤서의 아파트 근처. 윤서는 희언에게 손을 흔들며 사라졌다.

-연습 영상 링크 밑에 보낼 게. 내 최애곡이야. 꼭 들어봐. 나 그걸로 오디션 볼게. 꼭 봐야 해!

말을 더듬지 않는 윤서의 문자는 윤서의 것이라고는 느껴지지 않았다.

10

바람 하나 없는 화창한 봄의 독립기념관.
"담당자님, 이거 희언이가 다 닦은 거예요!"
기념품 가게를 들른 담당자를 발견한 인배가 인사도 미루며 소리쳤다. 가게에 있던 관람객들이 놀랐는지 인배와 담당자를 힐끗 봤다.

"희언아, 네가 청소한 거야? 이거 때문이구나 기념관 사무실에서 나를 부른 게?"
"언니, 아우 청소라뇨. 그냥 먼지만 턴 건데."
희언은 쑥스러운지 몸을 배배 꼬았다.

"근데 사무실에서는 언니를 왜?"
담당자는 희언의 말을 가로막고 급하게 말을 이어나갔다.

"인배 학생! 그거 알아요? 얼마 전에 불량배한테서 학생을 구했데요 얘가. 또, 도를 아십니까에 납치될 뻔한 학생도 구하고!"

"아, 진짜요?"

인배의 눈이 동그래졌다. 갑자기 손이 다소곳해진 게 당장이라도 희언을 누나라고 부를 판이다.

"아오, 납치는 아니에요! 그냥 그 인간들이 친구 손을 잡길래 하지 말라고 한 거죠."

희언은 또 쑥스러운지 손사래를 치며 고개를 좌우로 흔들었다.

"게다가 학교에서 그러는데 얘가 요즘 근현대사 시간이랑 한국사 시간에 대답을 잘한다고 기념관 사무실까지 소문이 났어요."

"아, 뭐 아니에요."

역시나 희언은 부끄러움에 몸부림쳤다.

"자! 그래서 오는 일요일에 일종의 상장 같은 게 나갈 거야. 기념관에서 주는 거지. 모범 학생상이라나 뭐라나."

"네?"

희언의 눈이 동그래졌다.

"너만 주는 건 아니고, 이번 임시정부 수립 기념일 행사에 너도 끼인 거야. 독립운동 유공자분들도 오시고, 천안시 부시장님도 오시고 하는 거니까 무조건 와야 해, 알겠지. 지각도 하면 안 돼. 이거 받으면 이제 보호 관찰 학생도, 어, 뭔가 할 수 있다, 이런 걸 보여주는 거니까. 알겠지?"
희언은 어안이 벙벙했다. 하지만 물어볼 건 물어 봐야지.

"언니, 혹시 상금 같은 건 나오나요?"
"상금이 아니라 너는 장학금이겠지. 잘 모르겠는데 한번 알아볼게."

노란 조명이 고풍스러운 나무 장식과 잘 어울리는 시내의 큰 카페. 쟁반 위 가득 담긴 음식들이 희언의 손에서 불안하게 흔들린다. 희언은 조심조심 천천히 쟁반을 탁자에 올려놓았다.

"할머니, 이런 거 첨 먹어보지?"
쟁반 위에는 노랗고 뽀얀 치즈케이크 한 조각, 딸기 다섯 개가 곱게 쌓인 초콜릿케이크 한 조각이 영롱한 자태를 뽐내고 있다. 옆에는 망고 프라페와 녹차 프라페가 땀을 송골송골 흘린다.
"아이고마…이게 다 뭐고?"
할머니는 생전 첨 보는 예쁜 케이크와 음료의 자태에 소녀가 된 듯했다.

얼마 전 진주는 거금의 카페 쿠폰을 희언에게 선물했다. 진주가 부모님께 자초지종을 설명했더니 진주의 부모님들은 희언을 초대해야 하니 밥을 먹여야 하니 호들갑을 떨었다고 했다. 이 이야기를 들은 희언은 진주에게 손사래를 쳐가며 거절했다. 그리하여 이렇게라도 감사의 보답을 하겠다고 진주 부모님이 희언에게 마음을 쓴 것이다. 이런 걸 몇 번이라도 더 먹을 수 있을 만큼 많은 양의 금액이었지만 희언은 가장 먼저 할머니 생각을 했다.

희언은 할머니에게 작은 포크를 쥐여주며 먹어보라고 보챘다. 그러나 희언은 걱정이 한 가득이다. 얼마 전 식욕이 잠깐 돌아온 할머니였지만, 입맛에는 맞을지, 혹은 아파서 식욕은 없을지, 밀가루와 찬 음식이 할머니에게 부담일지. 희언은 기대보다 걱정이 컸다. 그런데도 할머니는 천천히 치즈케이크 끝부분을 조각 낸 후 입에 가져갔다.

"아이고야, 입에서 살살 녹네."
할머니의 긍정적인 반응에 희언은 반색했다.

"맛있지, 할머니?"
"응, 맛있다."
희언은 빨대의 포장을 뜯어 망고 프라페 잔에 꽂았다. 그리고 빨대를 할머니의 입에 가져다 댔다. 할머니는 힘차게 프라페를 빨아 드셨다.

"캬아."
경쾌하고 시원한 감탄이 나왔다.

"아이고 이건 또 우째 이런 맛이 나노?"
차가운 걸 많이 못 삼킬 줄 알았는데 할머니는 프라페를 꿀꺽꿀꺽 몇 번이고 삼키셨다.

"그치, 할머니? 나, 돈 많이 벌어서 이런 거 매일 사줄게."
"아이고, 네가 맛있는 거 많이 사 먹어야지. 나는 필요 없다."
할머니는 말은 그렇게 하지만 포크를 놓지 않았다. 손과 입이 바쁜 할머니.

"할머니, 진짜 맛있나 봐?"
"응, 그래 그래. 언이도 얼른 먹어라."
할머니는 치즈케이크가 입에 맞았는지 금세 하나를 다 먹었다. 그리고 남은 초코케이크로 향하는 할머니의 포크. 할머니가 케이크를 잘 먹는 모습에 희언도 싱글벙글이다.

"할머니, 나 이번에 상도 탄대!"

"상? 무슨 상?"
할머니는 반색하며 희언을 쳐다봤다.

"나 기념관에서 일도 잘하고 학교에서 공부도 열심히 한다고,
시청인가 보훈처인가? 뭐 거기서 상 준대."
"아이고, 우리 손녀 장하네."
할머니는 입 주위에 초콜릿을 묻힌 채 희언을 보고 웃었다. 희
언은 휴지를 접어 할머니의 입을 닦았다. 입을 닦고 보니 하나
도 남지 않은 프라페와 케이크. 이에 놀라 희언은 일어나 계산
대로 향했다. 얼마 후 희언은 쟁반에 눈처럼 뽀얀 생크림 케이
크를 담아왔다. 할머니는 이를 보고 웃었다. 희언의 시선이 할
머니의 얼굴을 벗어나자 할머니가 얼굴을 잠시 구겼다 폈다.

오후 7시가 지난 동네 약수터는 한산하다. 희언의 발걸음이 평
소보다 가벼워 보인다. 겨우겨우 약수터 공터까지 올라온 희
언. 희언은 들고 온 빈 약통을 약수터 곳곳에 올려놓는다. 그리
고 팔을 들어 스트레칭을 하고 어깨를 돌려 몸을 푸는 희언. 어
지간히 몸을 풀었는지 희언은 휴대전화로 약통들을 향해 혼을
쏘아본다. 휴대전화를 사용하는데 왜 몸을 풀었는지. 아마도
태권도를 하던 시절의 버릇인가보다. 아무튼 희언은 마법의 휴
대전화 사용을 연습한다. 그러나 이게 쉽지 않은지 몇 번이고
빗나갔다. 푸른 기운은 약통을 지나 공중에서 아무렇게나 흩어

진다.

"이제 발사는 잘 되고, 맞추기만 잘 맞추면 되는 거야."
시간이 꽤 흘렀다. 태양이 지고 이제 가로등이 켜질 시간. 희언
은 아직도 휴대전화를 쥔 채 약통과 씨름 중이다.

"아, 진짜! 왜 이리 안 맞아."
희언은 다시 집중하여 약통을 겨냥했다.

파직!
드디어 푸른 기운이 약통을 쓰러뜨렸다. 바위 위에서 굴러 떨
어지는 약통.

"와우! 이제 진짜 이게 되네."
희언은 한번 더 팔을 뻗어 푸른 기운을 발사했다.

파직!
다시 한번 정확하게 약통을 가격하는 희언. 희언은 그 후 몇 번
이고 약통을 정확하게 맞췄다.
가로등에 불이 하나씩 들어오는 동네 약수터. 가로등과 가끔
번쩍이는 푸른 빛은 신비로운 기운마저 맴돌았다. 희언이 집으
로 돌아가려는 순간 휴대전화의 진동이 울렸다. 사람들이 한둘

씩 집으로 들어가기 시작하는 밤. 윤서는 동네 마트에서 장을
보고 있다.

"어, 엄마 뭐, 뭐 사라고?"
무선 이어폰을 끼고 있는 윤서가 허공에다 말을 했다.

"응. 아, 알았어."
윤서는 두부와 애호박을 골라 바구니에 담았다. 윤서가 계산대
에 있을 때 밖에서 낯이 익은 사람이 휙 하고 지나갔다. 희언이
었다. 자전거를 타고 급히 어디론가 향하는 희언.
'응? 이 시간에 쟤는 어디 간대?'
놀란 윤서가 혼자 중얼거렸다. 윤서는 희언을 놀라게 해줄 생
각에 희언의 뒤를 몰래 쫓았다. 윤서의 반짝이는 자전거는 희
언의 낡은 자전거를 금방 따라잡았지만, 윤서는 교차로에서 희
언을 잃어버렸다. 윤서는 자전거에서 내려 주변을 둘러봤다.
희언의 기척을 찾았지만, 희언은 온데간데 없었다.

"유관순 열사 기념관?"
윤서는 '유관순 열사 기념관'을 가리키고 있는 이정표를 눈여겨
보았다. 윤서는 자전거에 다시 올라탔다.

무안견이 점령한 유관순 열사 기념관. 기념관은 기와로 된 전

통 건축물과 무안견들이 만나 가히 지옥도를 연상시켰다. 이 흉측한 그림에 움찔한 희언. 희언을 발견한 무안견들은 이빨을 드러내고 희언을 위협했다. 하지만 희언의 뒤에서 뛰어나온 수호자들에 의해 무안견들은 쉽게 제압당했다. 기념관 안으로 들어가는 희언과 수호자들. 기념관 안에서 본 오니토는 전보다도 눈에 띄게 거대해져 있었다. 전시된 치마저고리, 갓신, 표창 등에서 혼을 흡수하고 있는 오니토. 게다가 오니토 주변을 지키고 있는 무안견들은 밖에서 진을 치고 있던 녀석들에 비해 훨씬 컸다.

"으음⋯제법 끈질긴 아이로구나."
희언을 발견한 오니토가 말했다. 오니토의 명령에 수호자들과 희언에게 달려드는 무안견들. 수호자들은 자신의 역할 대로 오니토를 상대했다. 그리고 무엇보다 약수터에서의 연습이 효과적인 듯했다. 희언은 무안견에게 강력한 푸른 혼을 발사했다. 몇몇은 혼에 나가떨어지기도 하고, 몇몇은 심지어 붉은 혼이 되어 공중에 흩어졌다. 무안견들을 정리한 수호자들은 오니토를 공격했다. 계속해서 에너지 파동을 오니토에게 날리는 하트슈터.

하트슈터에게 당한 적이 있는 오니토는 하트슈터의 공격에 민감해 보였다. 오니토가 하트슈터의 꽁무니를 쫓아 분주할 때,

오니토의 머리 위에서 갑자기 퓨리어스와 베일이 떨어졌다. 베일의 능력으로 몸을 숨겼던 퓨리어스는 순식간에 오니토의 뒤에서 목을 팔로 감아 결박했다. 오니토가 퓨리어스에게 목을 내준 사이 골든나인이 오니토의 오른팔을 잡았다. 곧이어 베일은 에너지장을 만들어 오니토의 왼팔을 묶었다. 두 수호자가 오니토의 팔을 압박하자 오니토는 잠시 당황한 듯 보였다. 그러나 이내 힘을 줘 수호자들을 떼어내려는 오니토. 이때 오니토의 가슴에 뜨거운 정육면체가 들러붙었다. 정육면체는 오니토의 갑옷을 태우며 갑옷 깊숙이 파고들었다. 버닝큐브의 공격이었다.

"배고프신가?"
이 한마디에 오니토의 양팔을 잡고 있던 퓨리어스와 골든나인이 팔을 재빨리 놓았다. 그리고 그 둘은 뒤로 크게 물러났다. 버닝큐브도 한참을 뒤로 물러나 오니토를 보며 웃었다.

펑!
오니토가 미처 손을 쓰기 전에 육면체는 크게 폭발했다. 사방으로 튀는 붉은 혼. 베일이 보호막을 열어 희언을 보호했다. 붉은 혼은 먼지처럼 공중에서 힘없이 떨어졌다. 떨어지는 붉은 먼지들 틈에 몸을 추스르고 있는 오니토.

"가소로운 것들이, 제법이군."

오니토는 큰 타격을 입은 것 같았다. 이를 본 수호자들은 동시에 오니토를 향해 공격했다. 하지만 오니토는 열사의 물건들을 수호자들의 방향으로 던졌다. 순간 모두의 시선이 열사의 소지품에 집중되었다. 이를 틈 타 오니토는 순식간에 혼을 다시 흡수하고 균열을 열어 도망쳤다.

"이 녀석, 또 혼만 쏙 빼먹고 도망갔군."
"잡을 수 있었는데."
"와! 역시 같이 싸우니까 엄청나게 센데요!"
힘을 합쳐 싸운 수호자들의 모습에 희언이 감탄했다.

"자! 그럼 보물을 찾아볼까?"
"잠시만요! 저 여기도 처음이에요."
희언은 윤봉길 의사의 기념관에서처럼 유관순 열사의 기념관의 입구로 되돌아갔다. 입구부터 차례로 나열된 열사의 삶. 희언은 열사의 삶을 하나하나 곱씹었다.
열사는 아우내 만세운동을 위해 태극기를 만들고, 사람들을 독려했다. 만세운동 중 아버지가 중상을 입고 어머니가 목숨을 잃는 상황에서도 일제에 대한 그녀의 저항은 멈추지를 않았다. 그녀는 수용소에서마저 독립의 의지를 굽히지 않았으며 갖은 고문에도 부서지기를 거부했다. 그렇게 그녀는 18세의 꽃

다운 나이로 감옥에서 조국의 별이 되었다.

"돌아가셨을 때 저랑 비슷한 나이였어요."
희언은 울고 있었다. 희언의 눈에는 마치 둑이 무너져 내린 듯 눈물이 쏟아지고 있었다. 베일이 다가와 그녀를 껴안았다. 희언의 눈물을 수호자들은 이해했다. 희언은 학생이었던 열사의 모습에 자신을 이입했음이 분명했다. 어린 나이에 겪었을 말로 표현하기 어려울 모진 고초와 고문, 그런데도 놓지 않았던 조국 독립의 염원. 이 뿐만이 아니다. 그날 만세운동을 하기 위해 거리로 나온 수많은 사람들과 일제의 총칼에 목숨을 잃은 사람들, 독립을 위해 희생한 모든 이들을 기리는 눈물이었다. 실컷 운 희언은 눈물을 훔쳤다.

"그러면 여기서도 보물을 찾아볼까요?"
희언은 한참을 울고는 씩씩하게 말했다. 수호자들은 희언이 자랑스러웠다. 올라가는 입꼬리를 막지 못하는 수호자들. 그녀에게서 100년 전 태극기를 들고 '대한 독립 만세'를 외치던 어린 여학생들의 모습이 겹쳐졌다. 희언은 오니토가 관심을 가졌던 열사의 물건들에 다가갔다. 휴대전화를 물건들에 가져가자 역시나, 휴대전화는 푸른 기운을 뿜으며 요동쳤다.

"여긴가?"

이전보다 더 강하게 푸른빛을 내뿜는 휴대전화. 수호자들과 희언은 기대에 찬 눈으로 열사의 물건들을 바라보았다. 하지만 얼마 지나지 않아 휴대전화는 기운을 잃으며 원래의 모습으로 돌아왔다.

"왜 보물이 나오지 않을까요?"
"아직 더 찾아볼 곳이 남았나?"
"혹시…제가 보물을 얻을 자격이 없는 게 아닐까요?"
"그게 무슨 소리야 희언아. 지금까지 얼마나 잘해주고 있는데."
버닝큐브의 목소리에서 진심이 느껴졌다.

"아니에요, 저는요, 저는…"
"희언 양. 희언 양은 보물을 찾을 자격이 충분해요."
"아니에요. 저는..."

"너 여기서 뭐, 뭐 해? 뭘 얻을 자격이 어, 없어?"
세상에나! 윤서였다. 소란스러운 희언의 목소리에 열사 기념관 안까지 들어온 것이 분명했다. 게다가 윤서의 눈에는 희언 혼자서 온갖 난리를 피우는 것처럼 보였을 것이다. 희언은 윤서를 발견하고 놀라, 들고 있던 휴대전화를 놓칠 뻔했다. 떨어지는 휴대전화를 잡으려다 무심결에 혼을 발사하는 희언. 혼은 보기 좋게 윤서의 배를 적중시켰다. 윤서의 배를 가격한 혼은 윤서의 몸에서 아름답게 번졌다.

"응? 이게 뭐, 악! 이, 이 사람들 누구야! 뭐야!"
"윤서야! 윤서야! 아니야, 아니야! 내 친구들이야! 친구들!"
"치, 친구들이 왜 하, 하늘에 떠 있어?"
"아니야, 아니야! 잘 봐, 윤서야!"

한참이 지난 후에야, 윤서는 이해가 되는 눈치였다.
"그, 그러니까, 네가 가장 위, 위대한 보물을 차, 찾아야 한다
이, 이거야?"
"응."

윤서는 한동안 말이 없었다. 머리가 복잡한 게 분명했다.
지이이잉, 지이이잉.
윤서의 전화가 울렸다.

"어, 엄마, 미안해 희언이를 잠깐 만나서 이, 이야기한다고. 엄
마 지, 지금 들어 갈게!"
윤서는 전화를 끊고 다시 희언과 수호자들을 바라봤다. 희언
과 수호자를 몇 번이고 번갈아 보는 윤서. 윤서는 말이 없었
다. 한동안의 침묵을 깨고 윤서가 말했다.

"그러니까…이, 이건 전부 비, 비밀인 거지?"

수호자들과 희언은 동시에 세차게 고개를 위아래로 끄덕였다.

11

만물이 움트는 봄이라도 해가 누워있는 오전에는 쌀쌀했다. 오늘따라 희언의 표정이 밝지 않다. 아마 조금 전 전화 때문이었으리라.

"희언 학생, 이번 주는 왜 할머니가 안 오셨어요?"

"아, 그게 바빠서."

"희언 학생, 그러면 안 돼요."

희언은 대답이 없다.

"할머니께서 차도가 별로 없으셔서 병원에 자주 와야 한다고 말씀드렸잖아요."

"네, 그렇긴 한데."

희언의 대답에는 평소와 다르게 자신감이 배어 있지 않다.

"네, 이제 방사선 치료를 시작할 때예요. 사실 방사선을 할 때도 지났죠. 희언 학생, 할머니 앞으로 보험 들어놓은 거 없죠?"
"네."
성의도, 힘도 없는 희언의 대답.

"할머니께서 연세도 있으시고 지금 상태도 너무 안 좋아서 당장이라도 돌아가신다고 해도 이상할 게 전혀 없는 상황이에요."
다소 충격적인 간호사의 말.

"요즘 엄청나게 좋아지고 계신데요? 밥도 엄청나게 잘 드시고 잘 걸으시고."
"아니에요. 그게 진통제랑 최근에 약을 잘 챙겨 드셔서 그렇게 보이는 거예요! 그리고 그렇다고 해서 병원을 빠지면 안 되죠."
희언은 아무런 말을 하지 못했다.

"월요일은 올 수 있어요? 학교 마치고?"
"네? 네. 제가 꼭 갈게요."
"네. 꼭 와야 해요. 그럼 월요일에 봐요!"
이상하다. 분명 할머니는 점점 좋아지는 것처럼 보였다. 식사량도 늘고, 잘 걷고. 점점 좋아지는 게 분명했다. 그런데 한시가 급한 상황이라니. 희언은 입술을 깨물었다.

사람이 없어 더욱 한기가 가득한 한용운 선생의 생가. 교복 위에 입은 외투로도 부족한지 희언과 윤서는 연신 팔로 몸을 비볐다. 그렇다. 윤서가 희언의 여정에 손님이 되었다. 희언은 휴대전화를 들고 선생의 생가 구석구석 보물을 찾아보지만, 보물을 찾을 수 없었다.

독립기념관으로 이동하는 버스 안. 윤서는 희언의 눈치를 보며 희언에게 말을 걸었다.

"희, 희언아 다음 주말에 나 오, 오디션 보잖아."

"응? 그래, 어, 오디션."

"그, 그날 앞까지 같이 가주면 안 돼?"

"어? 어 그럼. 가야지, 가야지."

"오예!"

윤서는 희언의 눈치를 살피며 좋아했다.

"저번에 내가 보내준 연습 영상 어때?

"어? 잘하더라."

"진짜?"

"응. 잘해, 잘해."

"오예! 내 최애 노, 노래. 그걸로 오, 오디션도 볼 거야."

"어, 그래 그래. 오디션 봐야지."

희언의 목소리와 초점 흐린 눈에는 성의가 없었다.

집으로 가기 위해 먼저 버스에서 내린 윤서. 윤서는 버스 밖에서 희언에게 손을 흔들었다. 희언도 윤서를 향해 손을 흔들었다. 왠지 힘겨워 보이는 인사였다. 윤서가 사라지자 희언은 휴대전화의 검은 화면을 바라봤다. 검은 화면이 반사한 희언의 눈에서 걱정과 초조함이 보였다.

버스에서 내린 희언. 희언은 독립기념관으로 가기 전 근처의 ATM 부스의 문을 열었다. 희언은 통장과 카드를 넣어 잔액 확인을 했다. 희망키움이 적힌 다른 통장, 내일키움이 적힌 다른 통장도.

"하아."
작은 부스는 희언의 깊은 한숨을 담기에는 턱없이 작았다.

늦은 밤, 희언은 불이 꺼진 방에서 눈을 살며시 뜨고 있다. 몸을 살며시 일으킨 희언은 할머니가 자는지 살폈다. 가르릉 가르릉 아주 가볍게 코를 고는 할머니. 희언은 안심하며 몸을 일으켰다. 이불을 조용히 걷어낸 희언은 서랍장으로 향했다. 살며시 여는 서랍장.

끼익!
낡고 오래된 서랍장이 작게 비명을 질렀다. 놀란 희언은 할머니를 확인했다. 다행히도 할머니는 깨지 않았다. 조심스레 서랍장을 빼는 희언. 팔이 들어갈 만큼 공간이 생기자 희언은 손을 집어넣었다. 서랍 속을 더듬기 시작하는 희언. 태권도 도복의 기분 좋은 까슬함을 지나자 손에 매끄러운 나무 상자가 잡혔다. 희언의 손에 꼭 맞는 작은 나무 상자. 희언은 나무상자를 집은 채로 고개를 돌려 할머니의 동태를 살폈다. 아직도 조용히 코를 고는 할머니.

희언은 마지막까지 조심스레 상자를 서랍장 밖으로 빼냈다. 희언의 손에 있는 작은 상자. 희언은 조심스레 방문을 열었다. 밖으로 나가 가로등 밑에 서는 희언. 희언은 크게 심호흡을 했다. 기대와 긴장감과 죄책감이 뒤섞인 한숨이었다.

희언은 가로등 불빛 아래서 상자를 열었다. 둔탁하게 열리는 상자. 세상에나! 안에는 불빛을 영롱하게 반사하는 작은 금속 브로치가 있었다. 꽤 오래되어 보였고, 꽤 값어치 있어 보였다. 희언은 잽싸게 상자를 닫고 고개를 두리번거리며 주변을 둘러봤다. 누가 봐도 영락없이 나쁜 짓을 한 사람의 행동이다. 희언은 다시 상자를 열었다. 은빛의 꽃이 투박하게 장식된 금속 브로치. 희언은 이를 품에 안은 채 잠시 호흡을 가다듬었다. 충분히 흥분을 가라앉혔는지 희언은 상자를 닫고 방 안으로 들어갔다. 할머니가 깨지 않도록 조심히 움직이는 희언. 희언은 책상 근처에 도달하자 가방을 열어 깊숙이 상자를 가방 안으로 집어넣었다. 희언은 숨을 죽인 채 천천히 이불 속으로 들어갔다. 이상하게도 희언은 평소보다 할머니로부터 멀리 눕는 듯 보였다.

다음 날 아침. 희언이 상을 받는 날이라 그런지 유난히 맑고 화창했다. 희언은 시계를 몇 번이고 쳐다보며 교복을 차려 입었다. 희언은 오늘따라 말수가 적었다.

"할머니, 나 오늘도 독립기념관 갔다가 윤서 오디션장 갔다가 와야 해서 늦게 올 거야."
긴장하고 굳은 얼굴에 반해 평소보다 상냥한 희언의 말투. 얼굴이 겨우 다 나오는 작은 거울 앞에서 희언은 교복 넥타이를 예쁘게 고쳤다.

"아이고, 희언아 오늘은 안 가면 안 되나? 할머니가 오늘은 안 나갔으면 좋겠는데."
할머니의 목소리는 오늘따라 기운이 없었다. 그리고 할머니의 작은 투정에도 과하게 상냥한 희언의 모습. 목소리와는 다르게 희언은 할머니의 눈을 바라보지 못했다.

"안돼, 오늘은 중요한 날이란 말이야."

할머니는 잠시 대답이 없었지만, 희언의 좋은 날을 망칠 순 없었다.

"아이고마, 그래 우리 손녀 상도 받고. 조심히 잘 갔다 온나."
희언은 해진 자전거를 겨우 끌고 낡은 대문을 겨우 빠져나왔다. 자전거를 타기 전 희언은 가방을 손으로 눌러 상자가 있는지 몇 번이고 확인했다.

맑은 날씨에 더욱 빛이 나는 주말의 기념관. 잔디밭 위에 무수히 세워진 작은 태극기들이 신나게 펄럭이고 있다. 희언은 곧장 강당으로 들어갔다. 크게 현수막으로 오늘의 행사가 소개된 강당. 강당 가운데에 놓인 의자에는 이미 많은 사람들이 앉아 있었다. 강당에 들어선 희언을 본 담당자는 객석 첫 줄에 희언을 앉혔다. 간단한 안부 인사를 마친 담당자는 행사 진행을 위해 사라졌다.

얼마 후 시작된 행사. 국민의례와 축사 등의 형식적인 행사 후 시상식이 진행되었다. 희언은 초점이 없다. 대신 다리를 떨었다. 다리를 떨다 말고는 손가락을 움직였다. 또 그러다 말고 오른발로 바닥을 쉴 새 없이 때렸다. 옆에 앉은 중년의 남성이 희언에게 눈치를 주자 그제야 희언은 산만한 행동을 멈췄다. 초조해 보이는 희언. 그러다 갑자기 희언의 눈이 동그래지고 귀가 쫑긋해졌다.

"다음으로 상금 수여가 있겠습니다."
수상자들이 받는 상금 액수를 보려고 희언은 전에 없이 시상식에 집중했다. 옆에서 상금 팻말을 들고 오는 도우미. 팻말에는 무려 300만 원이라는 금액이 적혀있었다. 희언은 급히 숨을 크게 들이마셨다. 희언의 입은 벌어지고 호흡이 가빠졌다. 눈과 입에서는 미소가 조금씩 자리를 잡았다. 희언은 발을 동동 구르고 싶은 걸 참는지 손과 발을 계속 꼼지락거렸다.

"다음은 모범 학생상 수상이 있겠습니다."
대여섯 명이 넘은 수상이 끝나고 드디어 희언의 차례다. 희언의 눈이 다시 커졌다.

"수상자는 정희언. 단상에 올라와 주십시오."
사회자의 말에 희언은 휘적휘적 단상에 올라갔다.

"본 학생은 타인에 모범이 되고 성실한…"
사회자가 희언이 받는 상에 관해 설명했지만, 희언은 아무것도 들리지 않았다. 희언의 눈은 계속 상금 팻말을 들고나왔던 도우미 쪽을 향하고 있었다. 상장의 설명이 끝나고 기념 관장은 희언에게 상을 전했다. 상장이 어떤 모양인지, 무슨 색인지,

뭐라고 적혀 있는지 희언은 아무런 관심도 없었다. 희언은 상을 받으며 허리를 숙여 인사를 했다. 그러면서도 눈은 아직도 도우미를 향하고 있다. 번거롭게도 사람들이 손뼉을 쳤다. 유난히 길게 들리는 박수 소리.

"다음으로 장학금 수여가 있겠습니다!"
아! 드디어 장학금이다. 희언의 얼굴은 누구나 알아차릴 만큼 눈에 띄게 밝아졌다. 옆에서 장학금 숫자가 적힌 팻말을 들고 오는 도우미. 희언은 팻말에서 눈을 떼지 못했다. 희언은 눈을 돌려 팻말에 적힌 숫자를 보려고 했지만, 참석자를 향해있는 팻말 때문에 쉽지 않았다. 희언은 초조해 보였다. 희언은 손바닥 안이 촉촉해지는 것을 느꼈다. 당장이라도 팻말을 빼앗아 들고 얼마가 적혀 있는지 확인할 듯 안절부절못한 모습의 희언. 기념 관장이 도우미로부터 팻말을 받아 희언에게 옮기는 그 순간, 드디어 희언은 팻말에 적힌 숫자를 볼 수 있었다.

'문화상품권 10만 원.'
희언의 얼굴은 삽시간에 시멘트 빛으로 변했다. 순간 놀랐는지, 아님 실망이 컸는지 뒷걸음질도 쳤다. 희언은 망설이다가 팻말을 받았다. 희언은 믿을 수 없다는 표정이었다. 정신을 다시 잡으려고 노력했다. 잘못 봤을지도 모르는 거다.

"모범 학생에게는 10만 원 상당의 문화상품권이 부상으로 나
갑니다."
라는 사회자의 말을 듣고서야 희언은 정신을 차렸다. 다시 곱
씹어 보고 들어도 정말 '문화상품권 10만 원'이다. 그렇다. 문화
상품권 10만 원. 희언은 상장과 팻말을 들고 기념 관장과 사진
을 찍었다. 희언의 표정은 씹지 말아야 할 것을 씹은 것처럼 굳
어 있었다.

행사가 치러진 강당과 기념품 가게로 이어지는 복도. 희언은
어쩔 줄 모르는 듯 두리번거렸다. 그러다 말고 가방을 열어 할
머니의 상자를 확인했다. 희언은 가방을 닫았다. 다시 몇 번을
왔다 갔다 안절부절못하는 희언. 좁은 복도를 이리저리 옮겨
다녔다. 좁은 복도에서 희언의 어수선한 발소리가 정신 사납
게 울렸다. 희언은 다시 가방을 열어 안을 확인했다. 희언은 확
신에 찬 듯 가방을 닫고 기념관을 뛰쳐나왔다. 희언이 있었던
자리에는 상장과 부상 팻말이 덩그러니 버려져 있었다.

12

희언은 자전거를 골동품 가게 앞에 세웠다. 세차게 문을 열고 들어가는 희언.

서서 TV를 보던 골동품 가게 주인은 희언의 등장에 반사적으로 TV를 껐다. 희언은 곧장 주인 앞으로 다가가 가방을 뒤적였다. 이를 아무 말 없이 지켜보는 가게 주인.

"아저씨, 저 이거 팔 수 있어요?"
가방에서 상자를 꺼내 금속 브로치를 보여주는 희언. 주인은 당황한 듯 보였으나 어른스럽게 희언을 진정시켰다.

"학생, 이게 은이거나 백금이면 여기보다 금은방이 나아요, 거기가 제대로 값을 쳐주지."
"아저씨, 이거 100년 정도 된 거예요, 무려 100년이요. 우리 할머니가 증조할아버지한테 받은 거예요."

주인은 미간을 치켜세운 후 희언의 브로치를 받았다.

"알겠어요. 확인해 볼게요. 며칠 뒤에 다시 와요."
"오늘까지는 안 돼요?"
"오늘까지?"
주인은 놀란 듯 인상을 찌푸렸지만, 희언의 간절한 눈빛에 알겠다고 답했다.

"이거 100년 전이면 뭐 독립운동가가 쓰거나, 그런 사람 집에서 나온 거, 그런 거 아니에요? 그런 거라면 또 모르는데?" 주인은 행여나 정말로 값어치가 나갈 물건일지 모르는 듯 희언에게 확인했다.

"그건 잘 모르겠어요. 잘 알아봐 주세요. 부탁드립니다."
주인은 알겠다며 고개를 끄덕였지만, 표정은 아직도 찌뿌드드했다. 주인은 뒤돌아 서자마자 누군가에게 전화를 걸었다.

"거, 정 사장! 오늘 여기 근처에 올 일이 있나? 방금 학생이 뭘 주고 갔는데 이거 한번 봐달라고."
골동품 가게 문을 열고 나가려는 순간 희언은 뭔가 생각이 난 듯 멈춰 섰다.

"아저씨 방금 뭐라고 하셨어요?"

"아, 나 아는 사람한테 전화했는데?"

"아니, 그 전이요."

"아, 이게 독립운동가가 쓰던 거나 뭐 그런 거면 진짜 귀한 거라 이 말이지. 혹시 뭐라도 생각난 거 있어?"

희언의 눈빛이 순간 또렷해졌다. 희언은 가게 주인에게 인사하고 골동품 가게를 나왔다. 희언은 쓰러져 있는 자전거를 일으켜 세운 뒤 페달을 힘주어 밟았다. 희언이 탄 자전거는 이때까지 들어보지 못한 소음을 짜내며 움직였다. 희언의 뒤에서 골동품 가게가 빠르게 멀어졌다.

건물 앞 크게 걸린 'XX뮤직 2nd 전국투어 오디션.' 현수막. 윤서는 오디션장 앞에서 희언을 기다렸다. 휴대전화를 꼭 쥔 윤서. 휴대전화를 계속 조몰딱거린다.

-희언아 어디야?

윤서는 희언에게 문자 메시지를 보내지만, 답장이 없다. 메신저 창에는 답장을 받지 못한 윤서의 문자 메시지가 가득하다. 다른 참가자들이 오디션장으로 들어가고 자신의 차례가 다가올 때마다 윤서는 애타게 휴대전화를 쳐다봤다.

"33번 배윤서 님 들어오세요."
오디션장 안으로 들어가는 윤서. 윤서는 다시 한번 뒤를 돌아 대기장을 훑어보았다.

희언은 자전거를 타고 달렸다.
"에이 씨, 왜 거기가 이제 생각난 거야!"
희언은 자전거 위에서 신경질을 냈다. 작게 뱉은 말이었으나 희언의 미간에서 그녀의 화가 고스란히 드러났다. 이때 다시 전화기가 울렸다. 희언은 자전거를 세우고 발신자를 확인했다. 희언은 전화를 받았다.

"야! 정희언 장난해?"
"네?"
"야 너 상장 이랑 부상 패 바닥에 버리고 갔어?"
아차! 희언이 가방을 눌러 확인했지만 이미 늦어버린 일이었다.

"아, 그게…저, 저."
"이거 완전 정신 나간 애 아니야!"
희언은 죄송하다고 말을 해야 하는데 말이 나오지 않았다.

"야! 이거 누가 찾았는지 알아? 너 칭찬하겠다고 기념품 가게 가던 여기 소장님이 찾았어!"

희언은 고개를 들지 못하고 길 한가운데 섰다.

"아무리 상금액이 맘에 안 들어도 그렇지, 이거 완전히 미친 거 아니야?"
"죄송합니다."
"야! 내가 이거 추진하느라 얼마나 고생한 줄 알아! 여기 사람들이 다시는 관찰 학생 쓰지 말자고 하잖아!"
귀가 아플 정도로 큰 담당자의 목소리. 희언에게는 단 한번도 '야'라고 부른 적 없던 예의 바른 담당자였다. 담당자의 거친 숨소리가 희언의 귀까지 닿는 것 같았다.

"너 때문에 이제 다른 보호 관찰 학생도, 계도기간 학생도 이런 기회 절대로 못 얻는 거야, 너 때문에."
담당자도 희언도 한동안 말이 없었다.

"됐어, 앞으로 나오지 마."
전화가 끊겼다. 희언은 윗니로 아랫입술을 꽉 깨물었다. 얼마나 휴대전화를 세게 쥐고 있었는지 손이 하얗게 질렸다.

"하아."
자괴감이 깊숙한 곳에서 올라와 희언의 입 밖으로 나왔다. 희언은 호주머니에 전화기를 다시 넣고 자전거 페달을 밟았다.

전처럼 속도가 나지 않는 힘겨운 페달질이었다.

얼마 지나지 않아 다시 전화기가 울렸다. 희언은 자전거를 세
우고 발신자를 확인했다.

"하아."
발신자를 보니 또다시 자괴감과 죄책감이 한숨이 되어 쏟아졌
다. 윤서의 전화였다. 희언은 눈을 질끈 감았다. 눈을 다시 떠
도 울리고 있는 윤서의 전화. 희언은 다시 눈을 즈려 감은 채
전화를 받았다. 윤서는 말을 쏘아댔다.

"왜 아, 안 왔어? 앞에서 어, 얼마나 기, 기다린 줄 알아?"
"미안해. 근데 나 지금 당장 보물을 찾아야 해. 지금 보물 찾으
러 가고 있어. 어디 있는지 알 것 같단 말이야."
"어, 어디 있는지 알 것 같아?"
"그래! 게다가, 나 보물 찾으려다 방금 알바에서 잘렸어."
"아, 알바 자, 잘렸어?"
"그래, 아 진짜, 뭐가 되는 게 없냐."
윤서가 한동안 말이 없다 겨우 입을 열었다.

"What doesn't kill you makes you stronger."
"응?"

"What doesn't kill you makes you stronger!"

-What doesn't kill you makes you stronger.
윤서는 희언이 못 알아들었을까 봐 전화기에 대고 노래를 한 소절 불렀다.

"어...그게 뭐야?"
"What doesn't kill you makes you stronger!"
"어…어?"
"나, 나 연습 영상에서 부, 부른 노래!"
"아…아!"
"캐, 캘리 클락슨! 나 최애!"
"아…"
윤서는 순간 아무 말이 없었다. 잠깐의 침묵이 이어졌다.

"너 내가 보, 보내준 영상 한번도 보, 본적 없지?"
"아, 그게."
"야, 됐어."
윤서는 전화를 끊었다.

"하아…씨."

희언은 휴대전화를 꼭 쥐었다. 당장 부서질 지도 모를 만큼 요동치는 휴대전화. 희언은 헬멧의 머리 끈을 풀었다. 분에 찬 숨을 내뱉는 희언. 희언은 한참이 지나서야 휴대전화를 호주머니에 넣었다. 한참을 제자리에서 머물던 희언은 신경질적으로 자전거를 몰았다. 자전거는 전보다 더 거칠게 소음을 만들어 냈다. 듣기 싫은 소음 속에서 희언의 휴대전화가 바르르 떨었다. 희언은 자전거를 세우고 문자를 확인했다.

-너는 지금 할머니를 병을 위해서도, 역사를 위해서도 이러는 게 아니야! 너는 그냥 지금 로또를 찾고 있을 뿐이야.

희언은 휴대전화를 꽉 쥐었다. 어금니를 꽉 깨물었는지 희언의 볼 주변과 입술이 꿈틀거렸다. 희언의 휴대전화 안에는 윤서의 메시지뿐만 아니라 할머니에게서 온 메시지와 부재중 전화로 가득했다.

-희언아 할머니가 보고 싶다.
-희언아 언제 오니?
-희언아 어디야?

희언은 귀찮은 듯 전화기를 호주머니에 넣었다.
유관순 열사 생가 앞에 도착한 희언. 잠시 숨을 고르고 자전거를 벽에 기대 세웠다. 이에 수호자들이 희언 옆에서 나타났다.

"아 진짜. 왜 여길 먼저 생각 못 했지? 기념관만 생각하고."
유관순 열사 생가 깊숙이 들어가 휴대전화로 이곳저곳을 훑어
보는 희언. 휴대전화는 생가로 들어오는 입구에서부터 푸른 기
운이 요동쳤다. 생가 어느 곳에서도 강렬한 기운을 내뿜는 휴
대전화. 이를 본 희언의 심장은 터질 것만 같았다.

열사의 방 앞으로 휴대전화를 가져가자 휴대전화는 지금까지
보지 못했던 강한 푸른 빛을 뿜었다. 불빛이 너무 강해 희언과
수호자들은 잠시 앞을 보지 못할 정도였다. 갑자기 휴대전화
가 희언의 손에서 요동치기 시작했다. 방안에서 푸른 혼이 쏟
아져 나와 휴대전화와 연결되었다. 푸른 혼은 계속 쏟아져 나
왔다. 혼은 서로 얽히고설키며 형태를 만들기 시작했다.

"우와."
자연스럽게 감탄이 터져 나왔다. 빛은 마침내 육면체의 형태
를 만들었다. 푸르게 빛나는 아름다운 상자가 공중에서 천천
히 자전했다. 위대한 보물이었다. 드디어 오니토를 막고 대한
민국의 역사를 지킬 보물, 그리고 희언의 할머니를 치료하고
집에 안정을 줄 보물이 희언의 눈앞에 나타났다. 수호자들은
서로 바라보며 미소를 공유했다. 희언과 모든 수호자는 이 아

름다운 상자를 넋을 잃고 바라보았다.

휴대전화와 보물의 연결이 끊어지고 보물이 완전한 형체를 갖추자, 희언은 호주머니에 휴대전화를 넣었다. 그리고 공중에서 빛나는 상자를 잡으려 서서히 손을 뻗었다.

13

콰직!

날카로운 붉은 혼이 날아와 상자와 희언의 사이를 갈라놓았다. 공중에서 붉은 균열이 열리자 오니토가 튀어나왔다. 희언은 재빨리 상자를 낚아챘다. 그 후 주변에서 수많은 균열이 열리며 무안견을 쏟아 냈다. 무안견들은 목적이 명확해 보였다. 바로 희언이 들고 있는 상자였다. 희언은 다시 휴대전화를 꺼내 무안견들을 공격했다. 희언을 보호하는 수호자들. 오니토는 직접 희언을 공격했으나. 베일은 희언과 함께 순식간에 사라져 몸을 숨겼다. 오니토가 주변을 살폈지만, 희언도 상자도 눈에 보이지 않았다. 웬일인지 오니토는 희언과 상자를 쉽게 포기했다.

"어차피 너희들은 그분의 계획을 막지 못할 것이다."
또 한번, 의문투성이인 말을 남긴 오니토. 오니토와 무안견들은 균열 속으로 사라졌다.

오니토와 무안견들이 사라진 후 베일과 희언이 천천히 모습을 드러냈다. 희언은 품속에 숨긴 보물상자를 꺼냈다. 상처 하나 없이 깨끗한 보물상자. 희언은 안전한 보물상자를 보며 안도했다. 보물상자는 희언의 손길이 닿자 푸른 빛 줄기를 뿜어 내었다. 마치 적합한 자신의 주인을 만났다고 기뻐하는 듯했다. 희언은 크게 침을 한번 삼키고, 숨을 몇 번 깊게 내쉰 뒤, 상자를 열었다. 다시 한번 세차게 뿜어 나오는 푸른 빛. 강렬한 빛이 사방으로 번지자 모두가 잠시 눈을 감았다. 그들이 겨우 눈을 떴을 때, 상자는 비어있었다.

"허?"
희언은 상자를 닫았다. 다시 열었다. 그리고 또 한번 닫았다 다시 열었다. 상자 안에는 아무것도 없었다. 상자는 이내 푸른 기운을 잃고 검게 썩어갔다. 그리곤 바람에 재가 날리듯 서서히 사라졌다.

"이게 뭐죠?"
수호자들은 대답이 없었다. 아니, 대답이 없다기보다 할 말을 잃었을 것이다.

"뭐에요? 아무것도 없잖아요!"
역시나 수호자들은 말이 없다.

"뭐냐고요? 지금까지 있지도 않은 걸 찾아다닌 거예요?"
희언의 호흡이 가빠지기 시작했다.

"아니야. 위대한 수호자는 우리 중에 가장 강하고 현명한 사람
이었어, 분명 뭔가 다른 이유가 있을 거야."
버닝큐브는 당황한 듯 두리번거리며 희언에게 설명했다.

"그럼 뭐예요? 제가 보물을 가질 자격이 없어서 이렇게 된 거
아니에요?"
"아니야, 희언아. 너는 충분한 자격이 있어."
희언의 목소리가 점점 커지기 시작했다.

"그럼 뭐로 그걸 증명할 수 있는데요? 뭐로 제가 자격이 있다
고 알 수 있는데요? 제가 보호 관찰 대상 학생인 건 알아요? 보
호 관찰 대상 학생이 뭔 줄 알긴 알아요? 범죄자라고요. 범죄
자! 내가 무슨 자격이 있어요, 네? 무슨 자격이 있냐고요? 거
짓말하지 말아요! 윤서도 당신들이 보이잖아! 근데 뭐 내가 선
택 받은 사람처럼 꾸며낸 거야!"
"아니야, 희언아. 너만이 우리를 불러낼 수 있었어."

"그러면 뭐 해요! 보물이 없잖아요, 보물이!"
수호자들은 말이 없었다.

"이게 저한테 얼마나 필요한 줄 알잖아요!"
아직도 수호자들을 말이 없다.

"이게 뭐예요! 도대체 왜 지를 선택한 건데요? 내가 보물을 찾아야 하니까 보물에 간절하니까! 그러니까 끌어들인 거 아니에요? 내가 보물이 있어야 하니까, 돈이 있어야 하니까!"
수호자들은 역시나 할 말이 없었다. 대답 없는 수호자들은 마치 희언의 말에 동의하는 것 같았다. 희언은 휴대전화를 꺼냈다. 푸른 기운도 사라진 휴대전화. 전화기를 켜보려고 하지만 배터리가 다 소진된 전화는 요지부동이었다. 희언은 휴대전화의 전원 버튼을 연신 눌렀다. 휴대전화는 역시 응답이 없다. 희언은 휴대전화를 땅바닥으로 세게 내려쳤다.

"빌어먹을, 되는 게 없어 씨."
휴대전화의 액정이 바스러졌다. 희언은 멈추지 않고 휴대전화를 있는 힘껏 밟고 또 밟았다. 산산조각이 난 휴대전화. 희언은 아직도 분이 남았는지 조각들을 발로 차 멀리 보내버렸다. 자리에서 거칠게 호흡을 뱉는 희언. 희언은 수호자들을 쳐다보지도 않고 자리를 떠났다. 희언이 떠나자 수호자들은 희미하게 사라졌다. 모두가 사라진 유관순 열사의 생가는 넋을 잃은 듯 생기가 없었다.

멀리서 보니 골동품 가게에 불이 꺼지기 시작했다. 희언은 급하게 자전거를 몰아 가게 앞에 도착했다. 허겁지겁 가게의 문을 여는 희언.

"아저씨, 그거 가격 알아보셨어요?"
"아, 이거 내가 몇 군데 알아보고 전화도 돌리고 해봤는데 뭐 별로 관심을 가지는 사람이 없더라고요."
"아저씨 그거 백 년 된 거예요, 백 년."
"나도 사줄 만한 사람들한테 그렇게 말했는데, 우선 이게 백 년이 된 거라는 증거도 없거니와, 백 년이 돼도 이게 뭐 소장 가치나 미술적 가치 이런 게 있어야 값어치가 있는데, 그렇지 않다니 원."
가게 주인은 브로치를 상자에 담아 희언에게 내밀며 말했다.

"그래도 어느 정도는 되겠죠? 얼마나 돼요? 사주시면 안 돼요?"
"에이, 이걸 우리가 팔거나 경매를 해야 남는 건데 돈이 안 되는 걸 어떻게 사요."
희언은 안달이 났다.

"아저씨 저 이거 놀고먹으려고 파는 거 아니에요."
희언은 가방 안에 있는 통장들을 꺼내 보이며 말했다.
"저, 이거 다 생활 지원금 받는 통장이에요. 진짜 돈이 없어서, 할머니 병원비가 없어서 그러는 거예요. 그러니까 신경 좀 써 주시면 안 돼요?"

주인은 한숨을 내쉬었다. 귀찮음이 진동하는 한숨이었다.
"흠, 그럼 한 일주일 뒤에 와봐요. 여기 왔다 갔다 하는 사람도 많고, 내가 전문가들한테 한번 더 물어볼게."
희언은 잠시 고민했다.

"지금 좀 안될까요?"
가게 주인이 다시 한숨을 깊게 내뱉었다. 주인은 다시 한번 상자를 열어 브로치를 구석구석 돌려 봤다. 뭔가 맘에 안 드는지 고개를 몇 번이고 갸웃거렸다. 혀를 몇 번이고 차고 또 차는 주인. 이내 뭔가 결심한 듯 고개를 저으며 지갑을 꺼냈다. 그리곤 지갑에서 5만 원짜리 넉 장을 꺼냈다.

"이게…이것밖에 안 해요?"
"이것도 많이 주는 거예요. 학생! 나, 이거 돈 주고 산 거 들키면 나 집사람한테 엄청나게 혼나!"
"하…그럼 다음에 다시 올게요."

"그래, 다음에 또 궁금한 거 있으면 들고 와요."

가게 주인은 브로치를 다시 희언에게 내밀었다. 제발 그냥 가져가라는 듯 희언의 목 앞까지 들어오는 상자. 희언은 이를 천천히 받았다. 이에 반해, 주인은 전혀 미련이 없어 보였다. 오히려 20만 원을 쓰지 않은 것에 대해 안도하는 듯 가게 정리를 마무리했다.

희언은 가게를 나서려고 문을 열었다. 그러다 미련이 남았는지 문지방 위를 넘지 못하는 희언. 희언은 몸을 돌렸다.

집으로 가는 오르막길 앞에선 희언. 노란 가로등이 힘없이 희언을 밝혔다.

"에잇."

희언은 낡아 빠진 자전거를 바닥에 내팽개쳤다. 자전거는 보잘것없는 소리를 내며 바닥으로 쓰러졌다. 그 위로 헬멧을 벗어 던지는 희언. 또 한번 별 볼 일 없는 소리가 났다. 거칠고 지저분한 시멘트 바닥에 팽개쳐진 자전거는 이상하게도 바닥과 이질감이 없었다.

집에 도착한 희언은 방문을 신경질적으로 열었다.

"아니, 왜 그렇게 문자를 하고 전화를 해! 내가 오늘 늦는다고 했잖아!"
할머니는 희언의 거친 신경질에 관심이 없는 것 같았다. 희언을 쳐다보지도 않고 방 구석구석을 뒤지는 할머니.

"희언아 혹시 저 안에 있던 작은 상자 못 봤나?"
희언은 대답하지 못했다.

"아이고마…이게 대체 어디 갔노. 아무리 찾아도 없노."
희언은 한참 동안 침묵을 지켰다. 방 이곳저곳을 뒤적이는 할머니.
"아이고, 어디 갔노 그게."
"나…그거 팔았어."
"뭐라꼬?"
할머니는 크게 놀라며 희언을 돌아봤다.

"팔았다고!"
"그게 뭔 줄 알고 니 맘대로 판단 말이고!"
할머니의 목소리가 전에 없이 크게 흔들렸다.
희언은 자신의 가방 안에 있는 통장들을 할머니에게 흩뿌리며 말했다.

"내가 쓰려고 판 것 같아? 할머니 병원비 해야 하잖아, 병원비!"

"지금 니가 무슨 짓을 한 줄 아나? 니는 하나밖에 안 남은 아빠의 유품을 팔아 넘겼다. 우째 그럴 수가 있노?"

할머니는 심장을 움켜쥤다. 어딘가 불편해 보였다.

"도박만 하던 인간이 무슨 아빠긴 아빠야! 그깟 고물이 뭐 대단하다고!"

"듣기 싫다."

할머니는 숨이 가쁜지 겨우겨우 말을 뱉어냈다. 할머니는 가슴과 배를 움켜잡았다. 할머니는 뒤돌아서 벽을 짚었다. 이에 희언도 몸을 돌려 세차게 문을 닫고 나와 버렸다. 빠른 걸음으로 집을 나와 내리막길을 걷는 희언. 내리막길 끝에 도착하자 희언이 버리고 간 자전거가 희언의 앞을 막았다. 희언은 자전거를 발로 거칠게 밀었다. 구슬픈 금속 소리가 조용한 동네를 소란스럽게 만들었다.

희언은 갈 곳이 없었다. 호주머니를 더듬는 희언. 휴대전화 대신에 한숨이 나왔다. 희언은 길을 걸었다. 정처 없이 그냥 걸었다. 무정하게도 비가 내리기 시작했다. 희언은 걷다가 방금 지나온 골동품 가게에 도착했다. 가게 처마 밑에서 비를 피하는 희언. 희언은 고개를 돌려 윤서를 처음 만난 곳을 봤다. 아무도 없었다. 그렇게 희언은 한참을 그 자리에서 꼼짝하지 않고 있었다. 추적추적. 비는 그칠 생각이 없었다.

자정이 훌쩍 넘은 희언의 집. 희언은 방문을 살살 열었다. 누워 있는 할머니가 살짝 보였다. 희언은 손으로 바닥을 짚었다. 방이 찼다. 희언은 늘 그렇듯 연탄불을 지핀 뒤 방으로 들어갔다. 아무렇게나 이불을 편 채로 잠이 든 할머니. 희언은 할머니의 이불을 고치지도 않고 방구석에 누웠다. 희언은 젖은 자신의 옷을 넓게 펴 자신 위에 덮었다. 베개도 없이 팔을 베고는 잠이 들었다. 그렇게 다음날이 밝았다.

희언이 일어나도 할머니는 아직도 누워있다. 아직도 화가 덜 풀렸는지 돌아누워 꼼짝하지 않는 할머니.
"할머니."
"할머니, 내가 다시 찾아 올게."
할머니는 아무런 대답이 없었다.

"할머니, 내가 다시 찾아온다고, 브로치!"
"할머니!"
"할머니이!"
"할머니."

희언은 할머니를 확인했다. 할머니는 움직임이 없었다. 할머니

의 코에 귀를 대고 숨을 확인했다. 희언은 할머니를 흔들고 다
독이고 불렀다.

"할머니, 일어나."
할머니는 대답이 없다.

"할머니."
희언이는 다시 할머니를 흔들었다. 할머니는 조금의 미동도 없다.
희언은 대답 없는 할머니를 품에 안았다. 할머니는 힘없이 희
언의 품에 안겼다. 희언은 품에 안긴 할머니의 얼굴을 손으로
닦았다. 그리고 얼굴을 할머니 얼굴에 파묻었다. 희언은 할머
니를 품에 안고 울었다. 너무 울고 울어 할머니의 늘어진 티셔
츠가 젖었다. 희언은 할머니를 불렀다. 할머니를 부르고 또 불
렀다.

"할머니."
희언은 흐느껴 울었다.
할머니는 더이상 희언의 세상에 없었다.

14

다행히 빈소는 한산하지 않았다. 학교 선생 몇이 빈소에 와 절을 했다. 그들은 익숙한 듯 향을 꼽고, 희언을 위로했다. 근현대사 선생도 오늘만큼은 생활 한복을 입지 않았다. 진주와 같은 반 친구들은 육개장을 먹고 갔다. 윤서와 담당자 언니가 그들에게 젓가락도 주고 떡도 날랐다. 인배 학생은 조의금을 정리했다. 담임선생은 희언 옆에서 조문객을 맞았다. 조문객이 없을 때 희언은 빈소의 벽에 기대어 바닥만을 하염없이 바라볼 뿐이다.

오늘따라 더 작고 초라해 보이는 희언의 집. 불도 켜지 않은 채 희언은 방구석에 앉았다. 한참을 앉아 있던 희언은 힘없이 일어나 벽에 붙은 자신의 상장을 하나씩 떼기 시작했다. 손에 두툼하게 모인 상장들. 희언은 서랍을 열고 상장들을 힘없이 내려놓았다. 그리고 바닥에 있는 할머니의 어린 시절 사진과 서랍장 위에 있는 가족사진을 서랍 안에 넣었다. 희언은 서랍장의 문을 천천히 밀어 닫았다. 어둠 속으로 사라지는 희언의 상장과 사진들. 희언은 다시 방의 구석으로 가 앉았다. 희언은 그렇게 한참을 앉아 있었다.

윤서는 희언의 작은 대문 앞에 섰다. 문은 열려있지만 차마 들어가지 못한다. 윤서의 한숨이 좁은 골목을 쓸고 지나간다. 윤서는 대문 앞에 쪼그려 앉아 있다 해가 지기 시작하자 자리를 떴다.

다음 날 오전.

똑 똑 똑.
방구석에 웅크려 자고 있던 희언이 문을 두드리는 소리에 깨어났다. 고개만 살짝 돌려 밖을 보니 두 명의 실루엣이 보인다. 이럴 땐 유리문이 편하기는 하다.
"계십니까?"
희언은 반응이 없다.

"계십니까? 국가보훈처에서 나왔습니다."
보훈처라는 말에 희언은 겨우 기어서 빼꼼히 문을 연다. 문은 천천히 힘없이 열렸다.

"정희언 양 되십니까?"

"네."

불도 켜지 않은 방안. 한 뼘 남짓한 문틈으로 수척한 얼굴을 내민 희언. 희언은 느리게 대답했다.

"돌아가신 아버님 성함이, 정익만 맞습니까?"

"하…네."

귀찮음이 요동치는 느린 대답이었다.

두 남자는 자세를 고치고 바로 섰다.

"충성!"

따뜻한 햇볕 아래에서 말쑥하게 제복을 입은 남자가 거수경례했다.

"고 정종익, 고 최미리는 대한민국 자주독립과 국가 건립에 이바지한 공로가 크므로 대한민국 헌법에 따라 다음 훈장을 추서 합니다. 충성!"

거수경례를 마친 남자는 작은 상자를 열어 희언에게 보여주었다. 가운데 태극 마크가 작게 그려진 금빛의 브로치. 훈장이었다. 정장을 입은 남자는 방금 읽은 훈장증을 아직도 앉아 있는 희언에게 전달했다. 희언이 건네받은 훈장증에는 분명하게 고 정종익과 고 최미리라고 적혀있었다.

해가 진 동네, 불도 켜지 않은 방 안 구석에 누워 희언은 아직도 울고 있다. 희언은 아직도 오전에 받은 훈장과 훈장증을 품에 안은 채 놓지 않고 있다.

"희언양의 증조부와 증조모는 독립운동가이셨습니다. 증조모께서는 시장 일을 하시며 전국에서 보내온 다른 독립운동가들의 밀서를 모으시고 증조부께서는 그 밀서를 상하이의 임시정부까지 운반하시는 일을 맡으셨습니다."

양복을 입은 남자는 오래된 사진들을 함께 보여주며 희언에게 설명했다. 깨끗한 종이에 인쇄된 오래된 사진에는 알아보기 힘든 숫자와 글자들이 있었다.

"두 분은 또한 독립군의 자금도 운용하셨는데 이를 숨기기 위해 도박에 중독되신 것처럼 연기도 하고 집안 살림을 도박에 쓰는 것처럼 꾸미셨습니다."
양복의 남자는 증조할아버지가 다른 독립운동가들과 찍은 사진을 내밀었다. 증조할아버지는 익숙한 얼굴들 옆에서 비장한 표정을 하고 있었다.

"원래 따로 모셔서 훈장을 드려야 되는데, 얼마 전에 할머님께서 작고하셨다는 소식을 듣고 이렇게 직접 찾아왔습니다. 저희가 늦어서 죄송합니다."

해가 지기 시작해 빛을 잃어가는 희언의 방. 희언은 훈장증과 훈장 상자를 안은 채 울고 있다. 그렇게 한참을 우는 희언.

밖에서 인기척이 들리자 희언은 울음을 가다듬고 기척에 신경을 세웠다.
"희, 희언아, 선생님이 와 보래."
윤서의 목소리다. 희언은 답이 없다.

"너, 너 주려고 떡볶이도 사 왔어. 호, 혹시 아무것도 아, 안 챙겨 먹나 시, 싶어서."
윤서는 검은 봉지에 담긴 떡볶이를 좁은 쪽마루 위에 놓았다.

"나 너 먹는 거 보, 보고 갈 거야."
잠시 후, 희언은 앉은 채 여닫이 문을 열었다. 희언의 얼굴은 당장이라도 흘러내려 없어질 것 같이 초췌했다. 희언은 말없이 훈장증과 훈장을 윤서에게 건넸다.

"이게 뭐야? 훈장?"
희언은 말없이 고개를 끄덕였다.

"증조할아버지랑 증조할머니?"

희언은 또 한번 고개를 끄덕였다. 윤서는 한참 동안 훈장을 곱씹어 봤다. 윤서는 잠깐의 침묵 후에 희언 앞에서 입을 뗐다.

"희언아 네가 수호자들한테 선택이 되었다고 했잖아. 이제 네가 왜 선택이 된 줄 알 것 같아."
윤서는 희언에게 훈장과 훈장증을 다시 건넸다.

"네가 독립운동가의 후손이기 때문일 것 같지? 아니야. 너의 핏속에 나라를 지켰던 사람의 힘이 있어서 그런 게 아니라고. 수호자들이 너를 선택한 건, 네가 지나칠 수도 있었던 골목 안의 나를 지키기 위해 용기를 낼 수 있는 사람이라서야. 네가 그냥 무시할 수도 있었던 진주의 위험을 모른 척하지 않을 사람이어서라고. 네가 위험할 수도, 네가 잘못될 수도 있는데도 너는 개의치 않았어. 교정시설에서 나와서도 너의 가장 큰 걱정거리는 할머니였잖아. 너의 삶도 편견과 색안경, 차별과 고난으로 가득 차 있었을 텐데 언제나 너는 할머니가 우선이었어. 그들은 그래서 너를 알아본 거야. 진짜 보물은 증명서가 없이도, 가격을 매기는 사람이 없이도, 연구하지 않아도 빛이 나는 법이거든."

윤서는 당당했고, 자신감에 넘쳤다. 말도 더듬지 않았다. 아마

오디션에서도 윤서는 이랬을 것이다.

윤서의 말에 희언은 한참을 그냥 앉아 있다가 아무 대답 없이 방으로 들어갔다. 희언은 천천히 문을 닫았다. 이를 본 윤서는 한숨을 뱉은 후 희언의 집을 나섰다. 쪽마루 위에 덩그러니 남겨진 떡볶이가 처량해 보였다. 비가 한두 방울씩 떨어지기 시작했다. 윤서는 손바닥을 내밀어 떨어지는 빗물을 확인했다.

방으로 들어간 희언은 방 한가운데서 멍하니 서 있었다. 그러다 서랍을 열었다. 구석에 밀어 넣었던 할머니의 사진과 가족사진을 다시 서랍장 위에 올려놓았다. 그리고 서랍장 안의 깨끗한 태권도복, 먼지 하나 앉지 않은 도복, 할머니가 수시로 빨래를 한 게 분명한 도복. 희언은 도복 상의를 꺼내 펴보았다. 등 뒤에 당당하게 적힌 KOR 마크. 마크는 어두운 방 안에서도 빛이 났다. 희언은 도복을 뚫어지게 바라보았다.

해가 지고 있는 내리막길을 비를 맞으며 내려오는 윤서. 윤서 옆으로 무언가가 쏜살같이 지나갔다.
희언이었다.

"희언아, 어디가?"
"독립기념관!"

15

불이 다 꺼진 독립기념관. 실제 독립운동에 썼던 다양한 태극기들이 전시된 돔(dome). 돔 가운데서 오니토는 혼을 끌어들이고 있었다. 푸르게 빛나는 태극기의 혼. 혼은 오니토 가까이 오자 붉은색으로 바뀌며 오니토 안으로 흡수되었다. 오니토는 그전과 다르게 무지막지한 덩치와 위용을 자랑했다. 그의 근처에서 대중없이 돌아다니는 수십 마리의 무안견들도 전보다 훨씬 커지고 사나워 보였다.

희언과 윤서는 아직 작동되는 희언의 출입증으로 기념품 가게의 문을 열었다. 그리고 가게를 통해 기념관 안으로 들어갔다. 기념관 안을 속속들이 둘러보는 희언.

"그, 근데 왜 하필이면 독립기념관이야?"
"오니토가 힘이 강해지면 분명히 여기로 올 거야. 여기면 충분히 대한민국 역사 일부를 바꿀 수 있거든."
희언과 윤서는 기념관 깊숙이 발을 옮겼다.

"분명히 여기에 있을 건데."
희언은 멀리서 붉은색 빛이 새어 나오는 걸 발견했다. 붉은빛은 이리저리 일렁이며 섬뜩한 분위기를 자아냈다.

"저기다!"
붉은색 빛이 새어 나오는 곳을 희언과 윤서는 따라 들어갔다.
복도 끝 모퉁이에서 고개만 빼꼼 내밀어 안을 확인하는 희언.

"있어?"
"응. 있어."
오니토는 태극기로부터 혼을 흡수하는데 정신이 팔려 있나 보다. 희언은 심호흡을 크게 한번 하고 모퉁이를 벗어나려 했다.

"너 휴대전화도 없잖아."
윤서는 오니토에게 다가가는 희언의 소매를 잡으며 말렸다. 이게 꽤 소란스러웠는지 오니토가 희언과 윤서의 기척을 알아차렸다.

"웬 놈이냐?"

오니토의 낮고 거친 목소리가 기념관 안에서 요동쳤다. 윤서는 오니토의 목소리만 듣고도 뒷걸음질을 쳤다. 반면, 희언은 모퉁이에서 나와 오니토를 마주 보고 섰다.

"웬 놈은 무슨, 독립유공자 후손이다. 임마!"
이에 맞서는 당차고 똑 부러지는 희언의 목소리. 희언은 무릎이 늘어난 회색 운동복 바지 위에 태권도 도복 상의를 입고 있었다. 검은 띠를 조여 맨 희언의 눈빛은 윤서를 불량배들에게서 구하고, 진주를 낯선 남자들로부터 지켜낼 때처럼 또렷하고 맑았다. 희언은 목을 이리저리 움직이고 팔을 크게 돌리며 몸을 푸는 듯했다. 그 와중에 윤서는 벽 뒤에 숨어 고개만 빼꼼 내밀어 희언을 지켜보고 있다.

"보물을 찾으러 왔나?"
"보물은 무슨, 너 쥐어 패려고 왔다."
오니토는 이제야 관심이 생겼는지 고개를 돌려 희언을 바라보았다. 희언이 가소롭게 보였는지 오니토는 콧방귀를 뀌었다.

"엄마 아빠 무덤에 맹세했는데, 다시는 아무도 안 때린다고. 너희는 예외다 이 새끼들아."
태권도 겨루기 자세로 자세를 고친 희언은 호흡을 가다듬고 제자리에서 사뿐사뿐 뛰었다. 갑자기 뛰기를 멈춘 희언이 오니토를 쏘아보며 한마디 했다.

"뭐하냐? 들어와."
오니토의 손짓에 수 마리의 무안견들이 희언에게 달려들었다.
순식간에 거리를 좁혀 희언 가까이 다가오는 무안견들. 희언
은 침착했다. 앞장선 한 마리가 날아올라 희언을 덮쳤다.

퍽!
희언의 뒤돌려차기에 아름다운 붉은 가루가 되어 산산조각이
난 무안견. 뒤따라오던 무안견들이 놀라 잠깐 멈추었다. 희언
의 발차기가 신호였는지 공중에서 다섯 명의 수호자들이 허공
에서 뛰어나왔다. 무안견들에게 달려드는 수호자들. 수호자들
과 희언은 무안견들에 맞서 싸웠다. 이 와중에 희언은 전에 없
던 활약을 보여주기 시작했다. 옆차기, 뒤차기, 뒤돌려 차기 쉴
새 없이 뻗어져 나오는 희언의 긴 다리. 이에 폭죽처럼 흩날리
는 붉은 혼들.

"뭐야? 애초에 휴대전화가 필요 없던 거 아냐?"
희언의 옆에서 무안견들을 던져버리던 퓨리어스가 희언을 보
고 말했다. 이후 희언의 투지에서 힘을 얻은 수호자들은 순식
간에 무안견들을 정리했다. 마지막 무안견이 쓰러지자 희언의
옆으로 거대하고 강력한 붉은 혼이 떨어졌다. 오니토는 수호자

들과 싸울 준비가 되었다.

"시작하지."
오니토의 거친 목소리가 돔을 흔들어 놓았다. 수호자들은 오니토의 초대에 응했다.

이번에도 하트슈터가 먼저 멀리서 에너지 파동을 쏘며 오니토를 귀찮게 했다. 그러나 오니토는 신중해 보였다. 아니, 오히려 하트슈터의 공격에 아무런 피해가 없어 보였다. 오니토는 가볍게 하트슈터의 공격을 막으며 수호자들 모두의 움직임을 주시했다. 이번에는 허공에서 버닝큐브가 떨어졌다. 버닝큐브는 흑사의 목덜미 뒤에 폭발물을 설치했다. 하지만 오니토는 마치 이를 알고 있었다는 듯 도망치는 버닝큐브의 코트를 잡아 끌어당겼다. 버닝큐브를 자신의 손아귀 안에서 짓누르고 있는 오니토.

펑!
폭발물이 터졌다. 순간 강력한 폭발 때문에 오니토와 버닝큐브가 수호자들의 시야에서 사라졌다. 연기와 불길이 잦아들었을 때, 오니토의 손에는 폭발에 정신을 잃은 버닝큐브가 힘없이 매달려 있었다. 오니토는 아무렇지도 않게 버닝큐브를 바닥에 버렸다. 퓨리어스가 이에 분노하여 오니토를 향해 달려들었다. 하지만 그녀도 오니토 손에 사로잡혀 정신을 잃을 때까지 바닥에 메쳐졌다. 바닥에서 미동이 없는 퓨리어스. 그리고 오니토는 허공을 향해 손을 뻗었다.

잠시 후 오니토의 손에서 베일이 서서히 나타났다. 오니토의 손에 목이 조여지는 베일. 베일은 고통스러운지 오니토의 손에서 몸부림쳤다. 오니토는 눈에서 강력한 붉은 혼을 내뿜어 베일을 제압했다. 베일도 버닝큐브처럼 바닥에 버려졌다. 네 명의 수호자가 너무나도 쉽게 오니토에게 당했다. 처참하게 쓰러져있는 수호자들. 희언은 이를 보고 아무것도 하지 못했다.

네 명의 수호자가 쓰러진 바닥 위에 골든나인이 떠 있다. 무안견들에 의해 옷과 망토가 찢어지고 안경에 금이 간 골든나인. 골든나인은 더 높이 떠올라 오니토와 대치했다. 기념관 안은 골든나인이 세차게 내뿜기 시작한 푸른 기운과 오니토가 뿌려놓은 붉은 기운이 섞여 혼돈을 이루고 있었다. 밖에서 천둥이 칠 때마다 오니토의 붉은 가면과 골든나인의 안경이 섬광을 반사했다.

"백범!"
"감히 그 더러운 입으로 위대한 이름을 부르다니."
오니토는 골든나인을 경계하는 듯 보였다. 그들은 미동도 없었다. 그저 공중을 맴돌았다. 서로의 망토만이 그들의 움직임을 따라 펄럭거렸다. 먼저 움직인 자는 골든나인이었다. 골든나인은 오니토의 얼굴을 공격했다. 오니토도 이에 맞서 반격했다. 그들은 치열하게 싸웠다. 푸른색과 붉은색의 혼은 시시각각 소용돌이쳤다. 팽팽하던 이들의 균형을 깨뜨린 건 오니토의 공격이었다. 오니토의 혼이 골든나인의 몸통 한가운데를 공격했고, 골든나인은 그 후 차츰차츰 오니토에게 전세를 넘겨주기 시작했다. 오니토의 수차례의 공격에 무릎을 꿇고 쓰러진 골든나인. 오니토는 골든나인은 목을 잡고 얼굴을 가격했다. 골든나인의 안경이 부서졌다. 골든나인은 이미 싸울 기력이 남아 있지 않아 보였다. 오니토는 골든나인의 목을 잡은 채 바닥으로 세차게 내리쳤다. 골든나인의 남아있던 안경이 산산이 조각나며 땅으로 흩어졌다. 부서진 안경 위에서 꿈틀거리는 골든나인. 오니토는 오른발을 높게 들어 올렸다. 그리고 골든나인의 머리를 조준했다.

픽!
오니토는 골든나인의 머리를 밟지 못했다. 희언이 온몸을 던져 오니토의 허벅지를 밀었기 때문이다. 하지만 아무 소용이 없었다. 희언이 고개를 들어 오니토를 바라보자 오니토의 붉은 안광이 번뜩였다. 오니토는 희언의 머리통을 잡았다. 그리고 희언을 들어 올렸다.

"아아아악!"

희언에게서 이런 고통스러운 목소리가 나올 줄 꿈에도 생각지 못했다. 희언의 눈높이가 오니토와 비슷해졌다. 이에 희언의 얼굴로 향하는 두 번의 주먹. 희언은 젖은 종이처럼 오니토의 손에서 늘어져 버렸다. 이런 희언을 한번 더 가격하는 오니토. 희언은 미동이 없다. 오니토가 희언을 놓자 희언은 액체처럼 처참히 공중에서 떨어졌다. 오니토는 아직도 꿈틀거리는 골든나인을 확인했다. 거대한 오니토의 오른발이 골든나인 머리 위에 떨어졌다. 골든나인은 이제 꿈틀거리지도 않는다.

오니토는 다시 주변의 태극기들을 흡수했다. 돔 안은 이미 붉은 기운으로 가득 찼다. 마치 피로 가득 찬 듯한 돔. 태극기들이 서서히 변하기 시작했다. 태극기의 중앙의 푸른 태극 문양이 점점 흐려지고 태극 주변의 건곤감리도 옅어졌다. 수많은 태극기가 점점 일장기로 변해갔다. 오니토는 주체할 수 없는 힘에 몸부림쳤다.

퍽!

다시 오니토가 멈췄다. 오니토의 발을 잡고 늘어지는 희언. 희언은 오니토의 한쪽 발을 양팔로 움켜쥔 채 몸을 비틀거렸다. 오니토를 막기 위해 늘어지는 희언. 희언의 얼굴은 엉망이었다. 피와 상처로 뒤덮인 희언의 얼굴. 이미 힘이 빠질 대로 빠진 희언은 오니토에게 어떤 위협도 되지 않아 보였다. 오니토는 귀찮다는 듯 희언을 가볍게 털어냈다. 그리곤 비틀거리는 희언을 오른발로 차 버렸다. 희언은 힘없이 날아가 기념관 벽에 부딪혔다. 희언은 벽을 타고 바닥까지 흘러내렸다.

어느새 비가 그쳤다. 구름이 걷히고 달과 별이 보이기 시작했다. 또렷하게 빛나는 별들. 그동안 오니토는 태극기를 흡수하는 것을 멈추지 않았다. 태극기들이 일장기로 변했고 오니토는 점점 더 커졌다. 그 와중에 누군가 오니토 뒤에서 속삭였다.

"나는 부서지지 않는다."
희언은 아직 말을 할 힘이 남아 있었나 보다. 희언은 오니토를 향해 기어갔다. 천천히, 꾸역꾸역 움직이는 희언. 무심하게도 오니토는 붉은 기운을 모아서 희언을 향해 날렸다. 날카롭게 날아간 붉은 기운은 기어가는 희언의 몸을 관통했다. 희언은 더는 자리에서 움직이지 않았다. 관통된 붉은 기운이 피처럼 퍼졌다가 사라졌다.

"희언아!"
구석에서 겁에 질려 상황을 훔쳐보던 윤서가 달려왔다. 희언을 잡고 우는 윤서. 희언을 품에 안고 희언의 이름을 애타게 불러보지만, 희언은 답이 없다. 윤서는 희언의 이름을 계속 울부

짖었다. 오니토는 윤서의 목소리가 거슬렸다. 붉은 혼을 윤서를 향해 쏘는 오니토. 혼은 창처럼 날카롭게 윤서를 향해 날아갔다. 이를 알 리 없는 윤서. 붉은 혼은 윤서의 몸을 때렸다. 윤서는 희언에게서 떨어져 나가 근처의 벽에서 멈췄다. 오니토의 공격에도 멈추지 않는 윤서의 큰 호흡과 흐느낌 소리.

"이것들은 잘 죽지도 않는군."
오니토의 신경질적인 목소리가 돔 안에 번졌다. 오니토는 윤서의 얼굴을 조준했다. 오니토는 오랜 시간 자신의 손에 붉은 혼을 모았다. 붉은 혼은 점점 커져 기념관 안을 가득 채웠다. 그런데 희언이 아직 움직이고 있다. 희언은 끈질겼다. 희언은 모든 힘을 짜내 윤서에게 향했다. 몸을 끌고 윤서를 보호하기 위해 기어가는 희언. 하지만, 어느새 윤서에게로 질주하는 붉은 혼. 윤서의 턱 끝에서 마지막 눈물 한 방울이 떨어졌다. 다가오는 붉은 혼에 윤서는 눈을 감았다.

펑!
강력한 폭발음과 함께 기념관 안이 눈부시게 빛났다. 기념관 전체가 흔들릴 만큼 거대한 폭발이었다. 그런데도 윤서는 아직도 숨을 쉬고 있었다. 누군가가 나타나 윤서의 앞을 가로막은 것이다. 기념관을 덮은 붉은 폭발의 기운은 차츰 푸른색 혼으로 바뀌었다.

기념관 전체에 퍼지는 푸른 기운. 푸른 기운은 빛나는 가루가 되어 사방으로 흩어졌다. 몇몇 푸른 혼은 쓰러져있는 수호자들 위에 내려앉았다. 푸른 혼의 기운을 받은 수호자들은 하나 둘씩 정신을 차리기 시작했다. 푸른 혼이 지나간 자리의 일장기는 태극기로 변해있었다. 거대한 폭발이 한바탕 휩쓸고 간 자리에서 수호자들은 목격했다. 그들이 그렇게 찾고자 했던 보물을.

"드디어 찾았다…가장 위대한 우리의 보물을…"
버닝큐브가 겨우 말을 뱉었다. 그는 폭발의 발원지를 보고 감격에 찬 듯 눈물을 글썽거렸다. 댕기 머리와 머리카락 끝에 달린 붉은 댕기, 흰색 저고리와 검은 바지, 그리고 길게 휘날리는 붉은 망토, 결의에 찬 빛나는 눈빛.

희언이었다.

16

위대한 수호자, 희언은 말이 없었다. 어금니를 꽉 깨문 희언은 오니토를 향해 날아갔다. 순식간에 희언은 오니노의 몸을 가격했고 오니토는 튕겨나가 벽에 부딪혔다. 오니토는 반격을 했다. 기념관은 그들의 작은 전쟁터가 되었다. 쉴 새 없이 붉은 혼과 푸른 혼이 이리저리 튀고 섞이며 요동쳤고, 몸이 부딪히는 굉음이 난무했다. 그들의 움직임은 태풍이 되고 소리는 천둥이 되었으며, 진동은 지진과도 같았다. 하지만 강력하고 거대한 오니토도 희언의 공격에는 속수무책이었다. 오니토의 가면과 갑옷이 부서지기 시작했고, 그 틈으로 붉은색 혼이 피처럼 새어 나왔다. 위급함을 느꼈는지 오니토는 급히 균열을 열어 수십 마리의 무안견을 쏟아 냈다. 위대한 수호자의 부활에 힘을 얻은 다른 수호자들이 무안견들을 상대했다.

역시나, 다시 한번 그들의 능력을 발휘해 무안견을 상대하는 수호자들. 하트슈터의 에너지 파동은 무안견을 놓치는 법이 없었다. 버닝큐브의 강력한 폭발은 수 마리의 무안견들을 단숨에 가루로 만들었다. 퓨리어스는 가장 크고 강한 녀석들만 골라 제압했다. 안경이 복구된 골든나인도 이곳저곳을 날며 무안견들을 처치했다. 베일은 에너지 장벽으로 쓰러진 윤서를 보호하면서도 무안견들을 쉴 새 없이 괴롭혔다.

희언의 공격과 수호자들의 반격에 오니토는 당황스러워 보였다. 이내 균열의 위치를 찾는 오니토. 도망갈 속셈이 훤히 보였다. 오니토가 균열로 들어가려는 찰나 희언은 균열을 향해 강력한 푸른 기운을 뿜어냈다. 이에 오니토가 만들었던 균열이 산산조각이 나 사라졌다. 도망갈 균열을 잃은 오니토는 물러설 곳이 없었다. 오니토는 희언을 공격했다. 희언은 오니토의 공격을 보란 듯이 피하고 막아냈다. 희언은 다시 한번 화려한 뒤돌려차기로 오니토를 가격했다. 오니토는 기념관 벽에 부딪혀 땅으로 떨어졌다. 희언은 오니토 앞에 섰다. 오니토는 몸을 일으켜 세우려 했지만 쉽지 않아 보였다.

"너는 아무것도 아닌 애송이 아니냐! 너는 아무것도 아니란 말이다!"
오니토는 희언 앞에서 무릎을 꿇은 채로 울부짖었다.

"이화학당의 학생들도, 광주 학생운동의 참가자들도 그들이 나라를 위해 목숨을 바칠 때는 그저 학생일 뿐이었지."

"너희들은 이런 미래를 가질 자격이 없어! 이 땅은 일본의, 일본의 땅이어야 했다!"

오니토는 분노하며 소리 질렀다.

"수많은 사람이 피를 흘려가면서 지킨 나라이며, 그들의 희생으로 우리가 지금 여기에 서 있는 거다."

"너는, 너는..."

"감히 어디를 너희 것이라고 우기느냐?"

희언은 침착하고 덤덤하게 오니토의 말을 받았다. 이에 오니토는 더는 할 말이 없어 보였다.

순간, 오니토의 눈이 붉게 빛났다. 오니토는 순식간에 튀어 올라 희언을 온몸으로 감쌌다. 오니토는 자신의 큰 몸으로 희언을 몸 안에 묻었다. 그러고는 지금까지 보지 못했던 강렬한 붉은 기운을 뿜었다. 붉은 기운은 가시가 되어 사방을 찔렀고, 수십 개의 붉은 기운이 희언의 몸을 관통한 듯했다. 하지만 희언은 개의치 않았다. 상처 하나 나지 않은 희언은 당황하는 오니토를 올려보며 말했다.

"나를 죽이지 않는 것은 나를 강하게 할 뿐이다."

176

순간, 눈이 멀어버릴 만큼 강한 빛이 희언의 몸속에서 뿜어져 나왔다. 기념관을 통째로 집어삼킬 만큼 강한 빛. 기념관의 창문을 뚫고 끊임없이 퍼져나가는 빛. 강력한 빛에 수호자들은 고개를 돌렸다. 잠시 후 빛은 서서히 사라졌다. 사라진 섬광 속에서 홀로 서 있는 희언.

날이 갠 뒤 해가 뜨는 기념관.
오니토와 수호자들의 싸움이 언제 있었냐는 듯 평화롭고 조용한 독립기념관의 아침.

희언은 쓰러진 윤서에게 날아갔다. 희언의 품속에서 윤서는 힘이 없었다. 이에 베일이 윤서에게 다가가 푸른 혼으로 윤서의 기운을 북돋웠다. 윤서는 지친 기색이 남아있었지만, 눈을 뜨고 희언을 향해 웃어 보였다. 희언은 윤서를 바르게 앉혔다. 윤서는 안정이 돼 보였다. 이에 희언은 날아올라 벽을 타고 전시된 태극기들을 둘러보았다. 100년 전 독립을 염원하던 사람들의 손에서 눈부시게 휘날렸을 저 태극기! 햇살을 받아 아름답게 빛나는 우리의 태극기!

다섯 명의 수호자들은 희언의 밑에 나란히 섰다. 희언도 그들 앞에 섰다. 희언은 수호자들을 향해 웃어 보였다. 수호자들도 희언이 자랑스러운 듯 미소를 지었다.

"위대한 수호자이시여!"

다섯 명의 수호자들은 희언의 앞에서 무릎을 꿇고 고개를 숙였다. 희언은 깊게 허리를 숙여 그들에게 인사했다. 수호자들과 함께 태극기에 둘러싸인 희언의 모습도 다이아몬드처럼 눈부셨다.

17

학교 급식실이 시끄럽다.
"야, 그거 내가 마지막에 먹으려고 남긴 거라니까!"

희언이 진주의 하나 남은 소시지를 냉큼 집어 먹어버렸다. 눈을 크게 뜨고 고개를 흔들거리며 진주를 약 올리는 희언. 입안에는 뭐가 그렇게 많은지 볼이 볼록하다. 진주는 눈을 부릅뜨면서 희언의 야쿠르트를 뺏어 이빨로 뚜껑을 꼭 찍어 마셔 넘겼다. 그러면서 진주는 잽싸게 자기의 야쿠르트를 호주머니로 숨겼다.

"야! 소시지 하나랑 야쿠르트는 급이 다르지!"
희언은 손도 한번 써보지도 못하고 야쿠르트를 빼앗겼다. 희언과 친구들은 소시지와 야쿠르트 하나에 뭐가 그리 행복한지 웃음이 보글보글 부풀어 오른다.

좋은 장비들이 가득한 녹음실.

"자, 다시! 윤서야 '시간을 뛰어서'에서는 힘을 더 빼야 할 것 같아. 앞부분은 강하고 '시간을 뛰어서'는 말하듯이, 오케이?"
"네!"
녹음실 안에서 윤서는 행복해 보였다. 윤서는 프로듀서의 주문에 따라 노래했다.

태권도 품새 청소년 대표 선수 선발전.

"우와."
"와."
군데군데서 감탄의 소리가 새어 나온다. 희언이 옆차기를 할 때마다 나는 소리다.

"와."
희언의 품새 '고려'는 힘이 넘쳤고 정갈했으며, 강약이 조화롭고 아름다웠다. 희언의 긴 다리와 팔이 만들어 내는 시원시원한 '고려'. 흰 도복을 입은 희언의 모습은 그야말로 보물 그 자체였다. 세 명의 심사위원 평가지에 적혀진 열 개가 넘는 항목들 옆에는 9와 10이라는 숫자만이 쓰여졌다.

"이얏!"

시험장을 꽉 채우는 희언은 기합 소리. 희언의 품새가 끝났다. 주변의 몇몇은 홀린 듯 손뼉을 쳤다. 체육관 관람석에서 환호 소리가 터져 나왔다. 열댓 명은 되어 보이는 학생들은 '품새 여신 정희언'이라는 플래카드를 들고서 희언의 이름을 외치며 손뼉을 쳤다.

초여름의 바람이 나무들을 가볍게 스쳐 간다. 희언과 윤서는 할머니 무덤 앞에 섰다.

"할머니! 나 왔어."

희언은 무릎을 꿇고 할머니의 묘 위에 국가대표 인증서를 올렸다. 인증서에는 당당하게 희언의 이름이 있었다. 희언은 할머니의 묘를 쓰다듬었다. 희언은 할머니의 묘에 금속 브로치를 올렸다. 희언의 눈에서 사진 속의 어린 할머니가 금속 브로치와 겹쳤다. 희언은 한동안 그런 할머니를 바라봤다.

잠시 후, 희언은 묘 옆 두 비석에 다가갔다. 희언은 각 비석 위에 훈장을 하나씩 올렸다. 태양 빛을 반사하며 찬란히 빛나는 훈장. 자랑스러운 독립유공자의 훈장!

희언이 당당하게 두발 딛고 서 있는 이 땅이 오늘따라 더욱 아름다워 보였다.

반달이 곱게 뜬 경주의 밤.
안압지의 잔잔한 연못이 반달을 마음껏 품에 담고 있다.

연못 한가운데에는 기모노를 입은 의문의 여인이 서있다.
뜻 모를 미소를 품은 채.

보물의 수호자

독립의 혼

발행일 ㅣ 2024년 01월 27일

지은이 ㅣ 김백중
펴낸이 ㅣ 마형민
기 획 ㅣ 신건희
편 집 ㅣ 신건희, 박소현
펴낸곳 ㅣ (주)페스트북
주 소 ㅣ 경기도 안양시 안양판교로 20
홈페이지 ㅣ festbook.co.kr

저작권법에 의해 보호를 받는 저작물이므로 무단 전재와 무단 복제를 금합니다.
ISBN 979-11-6929-444-7 03810
값 15,800원

* (주)페스트북은 '작가중심주의'를 고수합니다. 누구나 인생의 새로운 챕터를 쓰도록 돕습니다. Creative@festbook.co.kr로 자신만의 목소리를 보내주세요.